Le Souverain Seigneur

DU MÊME AUTEUR

—

Le Souverain Seigneur

PAR

LA VARENDE

LES CAHIERS VERTS - XX

chez Bernard Grasset

MCMLIII

IL A ÉTÉ TIRÉ DE CET OUVRAGE, LE VINGTIÈME DE LA NOUVELLE SÉRIE DES CAHIERS VERTS, MILLE SEPT CENT SOIXANTE-QUATRE EXEMPLAIRES, A SAVOIR : CINQUANTE-DEUX EXEMPLAIRES SUR VERGÉ DE MONTVAL NUMÉROTÉS MONTVAL 1 A 40 ET MONTVAL I A XII; CENT SOIXANTE-DEUX EXEMPLAIRES SUR VÉLIN PUR FIL LAFUMA NUMÉROTÉS VÉLIN PUR FIL 1 A 150 ET VÉLIN PUR FIL I A XII; ET MILLE TROIS CENT CINQUANTE EXEMPLAIRES SUR ALFA MOUSSE DES PAPETERIES NAVARRE NUMÉROTÉS ALFA 1 A 1350; AINSI QUE DEUX CENT EXEMPLAIRES SUR ALFA MOUSSE, HORS COMMERCE, RÉSERVÉS A LA PRESSE, NUMÉROTÉS S.P. 1 A S.P. 200. EN OUTRE, SOIXANTE-DIX EXEMPLAIRES SUR VERGÉ DE HOLLANDE NUMÉROTÉS HOLLANDE 1 A 60 ET HOLLANDE I A X.

IL A ÉTÉ TIRÉ SPÉCIALEMENT : DIX EXEMPLAIRES SUR MADAGASCAR NUMÉROTÉS MADAGASCAR 1 A 10 ET QUARANTE EXEMPLAIRES SUR VÉLIN DE RIVES NUMÉROTÉS RIVES 1 A 40, RÉSERVÉS A LA LIBRAIRIE HENRI LEFEBVRE, DE PARIS, ET CENT EXEMPLAIRES SUR VÉLIN DE BILLERUDS NUMÉROTÉS VÉLIN DE BILLERUDS C.S.P. 1 A 100 RÉSERVÉS AUX SOUSCRIPTEURS DE LA COLLECTION SAINT-PIERRE A LAUSANNE.

L'ENSEMBLE DE CES TIRAGES CONSTITUANT L'ÉDITION ORIGINALE.

EXEMPLAIRE ALFA MOUSSE S. P. 94

Afo 12285

PREMIÈRE PRÉFACE

C E petit roman doit être compris parmi les recueils de nouvelles dédiées aux collectionneurs, tels que *Bric-à-Brac* et l'*Objet Aimé,* que des nécessités d'édition retardent. Il étend à l'être la sentimentalité qu'une imagination ardente et inquiète peut ajouter, superposer aux choses... Le collectionneur arrive à douer d'une âme les éléments qu'il groupe, soit en leur reconnaissant une beauté dont il est le détecteur — en partie le créateur — soit en leur accordant une longévité qui leur confère une manière d'existence touchante; soit en leur attachant une histoire dont ces objets se trouvent amplifiés. L'amour, ajouté au désir, le dépassant, arrive à diviniser ce que le désir matérialisait. Et, l'admirable, n'est-ce pas que pareille exaltation dépende plus encore de celui qui la reçoit que de ce qui la donne ?

Pourquoi insister ? Serait-il interdit, à quelqu'un qui a tant chéri ce qui se laisse aimer, d'écrire un roman d'amour, un seul ?

L. V.
1943.

SECONDE PRÉFACE

C ETTE *longue nouvelle fut écrite en au-*
tomne 1910, au Chamblac, et préservée
du sort de mes élucubrations primitives
par les armoires de la vieille maison. Vingt-
cinq plus tard, Pierre Mille *me pressa de lui*
confier un roman, et je tentai, pris de court,
d'utiliser le Souverain Seigneur *en l'allongeant*
de cent pages, en le sertissant dans une étude
minutieuse de chaque heure. Quelques amis,
dont Jacques Noir, *se divertirent de* Reste-t-il
de l'Amour, *mais* Pierre Mille *s'en indigna et*
le rendit à Hermann Quéru *avec des considé-*
rants sévères... Et cependant je ne pus tout à
fait m'en détacher. Je rendis à la nouvelle à
peu près sa forme ancienne; à peu près, dis-je,
car je l'avais déjà modifiée suivant ma fantai-
sie et mes heures creuses, avant la piteuse re-
fonte.

Je ne discuterai pas son romanesque, qui,
malgré que je m'armasse de courage, m'a tou-
jours empêché de la publier, même en 1943;
mais je la considérais comme une étape juvé-

*nile et significative. Toutes les amours dont
elle s'embrase ne sont point artificielles...*

Et, comme les Cahiers Verts *comportent
une part de curiosité livresque, de recherche
documentaire, je l'ai proposée à Bernard Grasset qui ne craignit pas de s'y intéresser.*

*Cette fois, puisque nous misons justement
sur la naïveté de la nouvelle et sur ma jeunesse, qu'elle parte donc, et dise, comme elle
pourra, ma tendresse pour les objets rares et la
femme unique.*

L. V.

Mai 1953.

Je viens de relire d'une traite le *Souverain*
pour en corriger les épreuves. J'ai honte de la
précédente préface, dont j'avais cependant
atténué le dédain à la demande de Bernard
Grasset. N'ai-je pas espéré désarmer la critique
en me critiquant moi-même ? Ce serait mépri-
sable. Cette fois, pris par son mouvement, je
revendique hautement ce petit livre ; c'est un
enfant naturel que je reconnais.

L. V.

16 août 53.

*... L'amour, comme il doit être, in-
volontaire, rapide, comme un voleur
qui prend tout...*

H. DE BALZAC.

I

RIEN pour moi, Madame Marchal ?
— Rien, Monsieur Guy, que les journaux...

Il éprouva un petit vertige, referma très
soigneusement la porte de la loge, et, la tête
bourdonnante, s'engagea dans l'escalier. Rien,
voilà !... Depuis vingt-sept jours, il attendait
une lettre d'elle... *Vingt-sept jours !*

Trois heures, encore, avant la prochaine
distribution; comment allait-il faire pour supporter tant de minutes ? Malgré tout, cette
distribution serait la bonne : les lettres de
l'étranger arrivent dans la nuit, sont triées au
bureau central, entre huit et neuf, puis
s'acheminent vers les quartiers, jusqu'à onze
heures. Mais non, hélas! il voulait se tromper
lui-même : toutes les lettres qu'il avait reçues
de là-bas étaient arrivées le matin; une seule
venue à midi, parce qu'elle avait été mise à la
gare maritime.

Ah ! que penser, sinon qu'elle ne l'aimait
plus ! Une amie commune l'avait vue, treize

jours auparavant; elle n'était pas malade, elle vivait; d'ailleurs, ses lettres n'avaient-elles pas changé ? Moins de spontanéité : une sorte de réticence... C'était de sa faute, à lui; il avait été coupable... Il aurait dû écrire mieux, moins raisonnablement se surveiller. Maintenant, il venait d'abandonner tout orgueil, toute sa manière de jeune homme moderne qui *veut* dédaigner l'amour. Les jeunes gens, aujourd'hui, ont d'autres problèmes et d'autres buts. L'amour ne doit pas dépasser l'amusement; il fait partie du repos, du jeu, de la « sortie »... Si, jadis, il eût écrit comme dans les dernières semaines, s'il avait toujours écrit ainsi, on n'en serait pas là : elle semblait si tendre, et tellement enivrée...

Le grand garçon brun, vêtu de tweed, s'appuyait sur sa porte, pris en entier par le regret, subissant l'abominable tourmente du remords, d'un acte absolument personnel, acte qu'il eût été, au moment judicieux, si facile de modifier.

Comme un pas vif montait l'escalier, au second, il se réveilla, se jeta sur le vantail de l'atelier : allait-il réussir à l'ouvrir ? Oui, enfin! Il entra et claqua la porte si brutalement derrière lui, qu'une faïence sauta du mur et tomba, se cassant en deux. C'était un joli plat de Moustiers jaune, décoré de chinois et de coloquintes; il le regarda avec tristesse,

comme s'il voyait un abandon encore, et d'un
ami. Le plat venait de Tanouarn, si vieux !...
Il en ramassa machinalement les deux morceaux, essaya de les rejoindre, mais le bruit des
plaies vives crissant l'une contre l'autre, lui
arracha une plainte ; et il comprit qu'il pleurait en voyant trembloter le vitrage, le four-
neau à réverbère, et à sentir une crispation lui
tordre la bouche. Voilà ; lui, avec ses vingt-
cinq ans, sa force athlétique, sa puissance
d'art, il pleurait comme un enfant perdu !

Il ne se souvenait pas d'avoir pleuré ainsi,
de percevoir des larmes pressées aussi vives...
Il avait envie de gémir, de crier. Saurait-il se
contenir ? Il s'étaya sur l'établi, les doigts au
milieu des outils et des feuilles d'or ; puis il
poussa tout, et les précieux instruments, qu'on
va jusqu'à entourer de liège, les burins, tombè-
rent sur le carreau. Il s'assit, logea sa tête au
creux de ses bras ; il sanglotait.

L'amant fut mieux, après ; quelque chose
s'apaisait, avait accepté, se pliait à la douleur ;
s'y sublimerait, peut-être. Il payait la rançon
de sa dureté : c'était juste... Il entrait dans
l'expiation. Il se sentit une anémie de malade,
des puretés de convalescent : une fille qui se
donne comme elle s'était donnée, avec cette
générosité d'amour qu'il appréciait maintenant — et dire qu'il l'avait crue « facile ! »
— ne pouvait se reprendre si vite. A moins

qu'elle n'eût entrevu son sentiment d'alors.
Aujourd'hui, il croyait comprendre que cela
seul n'aurait pu être pardonné.

*

L'amoureux avait été consumé par l'attente
vaine. Depuis dix jours, il ne pouvait même
plus travailler; il n'allait pas tenter de s'y
mettre, mais il voulut apporter un peu d'ordre à toutes ces pauvres choses délaissées. Il
réunit, dans la sciure de frêne, les bâtonnets
de platine avec quoi l'on fait les anneaux;
rassembla, dans les sébiles de poirier noir, les
déchets scintillants; releva et disposa les burins froids, les rigides aciers bleu-paon dont le
recuit indique la gamme de force : ceux qui
servent à l'or, bleu-nuit, et, pour les métaux
durs, grisés et jaunissants. Ah ! les doigts y
laissaient une marque ! De la poussière, sur
leur joli !... Retrouverait-il jamais l'amour de
son travail, cette joie d'orfèvre, de ciseleur,
pleine de mystère et de somptuosité, où l'on
marie le feu, les pierreries et les matières pré-
cieuses ? N'aimerait-il plus être un ouvrier
pour rois, uniquement pour les rois et les reines du monde ? Celle qu'il chérissait, sa reine
à lui, avait eu son dernier travail pour sa secrète couronne... Si tout était fini, il faudrait
vivre en exilé. Il enverrait le beau bracelet, et
puis...

Il sentit combien le ciselait, lui aussi, cette
peine d'amour, et qu'il serait plus pur, plus
dépouillé qu'avant; il vivrait dans son souvenir, comme en prières. Certaines gens ont bien
duré jusqu'à la mort dans la nostalgie d'une
femme, d'un pays, et qui, de leur souffrance,
ont agrandi leurs âmes... Mais l'âme ? Y
avait-il une âme ?

*

Encore une fois, il reprit une photographie
où figurait une étrange maison de pierre,
avec, au premier plan, minuscule, une fille qui
résistait à la brise, presque indistincte mais
extraordinairement gracieuse. Cheveux courts
et fous, jupe mobile, aussi réduite que possible, un *kilt*, et des jambes si hautes, ineffablement amincies et cependant rondes. Derrière
elle, les collines pâles : « Vous disiez que je
vous oublierais, et c'est vous, mon amour...
Que faites-vous ? Où êtes-vous ? »

Jamais il ne se rassasierait de son nom, que
tant de femmes, cependant, portent là-bas.
Son nom semblait dessiner une douce inflexion
des lèvres, une avance de lèvres, comme un
baiser qui éclot... Son nom l'évoquait, la faisait surgir : de vastes yeux d'orage qui rem-
plissaient tout de leur clarté; un nez imma-
tériel, aérien, et, à droite, un bouquet de toutes petites taches de rousseur.

Ces souvenirs se multipliaient, sourdaient des cellules profondes de son ami, prenaient une si cruelle vitalité qu'ils devenaient insoutenables. Tout le corps de l'homme se rappelait; ses oreilles retenaient des plaintes à jamais fixées; ses yeux, des lueurs furtives; ses mains, des modelés dont les points de tangence semblaient encore électriques, au bout des doigts : ce qui avait été elle et lui, et dont maintenant, le rappel, la notion, le stupéfiait, le dissociait.

L'image de la jeune fille se faisait énorme, oppressante, arrivait sur lui pour l'étouffer de sa robe sombre; ou bien, avec la vélocité docile des choses sur rails, s'en allait vertigineusement; devenait infiniment petite, jusqu'à l'extrême horizon où elle restait très nette, aux confins de la vue, et au bord de la mer.

« Je dois avoir la fièvre... », pensa-t-il.

Il sortit sur le balcon. Le marché couvert était devant lui avec toute la vie heureuse de cette petite province parisienne. Il en vint à envier les ménagères qui se disputaient pour la conquête des garçons bouchers, les entretenues à demi-solde qui rêvassaient sur les immenses balcons démodés, et jusqu'aux chiens paisibles, dans le bon soleil.

Sur le trottoir, très bas, devant le teinturier, un facteur. Guy recula; puis descendit.

S<small>A</small> vie était réglée par les distributions.
Parvenait-il à sortir, qu'au bout de quel-
ques rues, il escomptait un hasard heureux, peut-être un oubli, et il rentrait tout
courant. Il n'avait pas toujours le courage
d'interroger, essayant de prolonger l'espoir :
il passait, len-te-ment... Si la concierge avait
la tête baissée, il toussotait, cognait une marche. Quelquefois, elle le rappelait; il venait,
tenant toute son énergie en bride. Et c'était
une quittance du gaz, une lettre d'ami, oh,
combien indifférente alors !

Mais cette fois, il allait demander.

Au moment où il débouchait sous le por-
che, le facteur passa devant le mur clair d'en
face, se silhouetta dans la porte noire, sans
s'arrêter.

★

Guy resta un instant sur le seuil, jouant
machinalement avec ses doigts; puis il sortit,

marchant vers je ne sais quel but, indiscernable mais impérieux. Il avançait automatiquement, comme un somnambule, sans rien qui le détournât, d'un grand pas allongé de sportif. Il passait au milieu des voitures, parmi les cris des femmes, les invectives des cochers, les stridents coups de trompe des automobiles.

A la porte du Nord, un agent l'empoigna en plein dos, par le vêtement, pour l'arracher de justesse à l'écrasade.

L'agent retourna sa capture, qu'il croyait ivre :

— Vous n'êtes pas fou ?

Mais quand il vit les beaux traits si étrangement calmes, il demanda : « Seriez-vous souffrant ? Faut-il vous faire reconduire chez vous ? »

Guy répondit, avec cette pureté d'accent maintenant si rare, mais qui est encore reconnue et impressionne toujours, même la brute :

— Je n'ai rien... Pardon... *Monsieur*. Laissez-moi, voulez-vous ?

— Je vais toujours vous remettre au trottoir...

Et l'agent suivit longtemps des yeux le jeune homme, en le recommandant du geste à son collègue, plus loin.

★

Sur l'interminable avenue, Guy marchait.

Il franchit un grand pont encombré de tramways; puis fut au milieu de ruelles en désordre; il s'orientait machinalement. Il entra, alors, en plein champ de banlieue, glissant au milieu d'innombrables déchets, butant sur des ferrailles, entraînant des écroulements métalliques, et suivant toujours sa direction attractive : VERS ELLE [1].

Cela seul subsistait en lui, une attirance inconsciente. Dans les villages, les gens le regardaient avec des mines ironiques ou apitoyées. Il fut hué et pourchassé à coups de cailloux par une troupe d'écoliers, après qu'il eut failli renverser une voiture d'enfant. Il n'entendait rien. Les heures tournaient. Il avançait toujours vers la partie du ciel où il n'y avait pas de soleil.

Tout à coup, il eut froid. Le temps se couvrait. Il était sur l'herbe d'une route caillouteuse... Où aller ? Où ? Un cantonnier, assis, cassait la croûte, Guy s'arrêta devant l'ouvrier qui s'étonnait : le « Monsieur » qu'il avait en face de lui, montrait une figure tachée de sueur, de poussière et d'un peu de sang caillé; il avait les yeux fixes. Le cantonnier laissa tomber la main jusqu'au manche de sa pioche,

---

1. La version originale portait déjà les phrases en majuscules. Elles indisposèrent tant Pierre Mille que j'y renonçai pour de longues années.

quand on lui eut demandé : « La direction du
Nord, s'il vous plaît ? »...

Il en béait encore, quand, avec prière, on
recommença :

— Dites-moi, je vous prie, par où aller ?...

Le cantonnier eut un geste : le Nord,
c'était par là...

Le jeune homme leva les yeux : un énorme
nuage blanc gonflait ses immensités neigeuses,
ses glaciers boursouflés, ses névés étincelants...
un peu à gauche. Comme aspiré par cette
lueur, il partit.

Le cantonnier le regardait s'en aller, avec
stupeur. Un fossé qui était là, l'errant le franchit comme une balle. Plus loin, une clôture;
le point noir s'éleva et retomba :

— Mince d'acrobate !...

Et puis le cantonnier se prit à rire, parce
qu'un type qui vous demande « le Nord »,
c'est farce !

*

Guy marchait. Il suivait une plaine longuement descendante, insensible, les yeux toujours sur cette alpe céleste qui resplendissait
dans un silence d'au-delà. Il lui semblait
qu'une sorte d'espérance commençait en lui;
un éclairement, comme si, en approchant du
nuage, sa lumière l'eût traversé.

Il sauta encore une large douve et se sentit

sur un terrain marécageux où il devait avancer avec prudence — et, subitement, devant
ses regards baissés, il y eut des moirures flot-
tantes, mobiles, avec toute une suite de déni-
vellations superposées, comme les couches
d'une coquille qui se déplaceraient l'une sur
l'autre. Il leva les yeux : le nuage se reflétait
dans une grande nappe de satin gris, avec des
plissements sombres : un fleuve; des saules ternes qui blanchissaient sous la brise...

On ne pouvait aller plus loin. Il s'assit.
N'était-il pas, d'ailleurs, vaincu par la fatigue ? Il suivit d'un regard atone le nouement
et le dénouement des contre-courants, des
courants; leurs girations, leurs spirales et leurs
épis, dont les centres disparaissaient pour toujours renaître. Il pencha à gauche, à droite, se
redressa. Puis, s'étant courbé, il toucha terre,
lentement. Il dormait.

*

Il fut réveillé tard, sans brusquerie, par un
gros remorqueur qui patouillait devant un
train de péniches vides. Le bateau siffla pour
demander l'écluse. De larges godrons d'eau
claquèrent aux pieds de Guy. La lumière, sur
le flot de vapeur de la sirène, était rose : le
beau temps revenait avec le soir.

Il eut une sorte de pressentiment. Le remorqueur sirèna encore; lui, l'insecte d'eau douce, le traîne-chalands, le dytique de rivière, il avait un peu le souffle des grands navires, le coup de gorge, l'appel de poitrine des puissants *liners* qui se ruent dans la nuit, la vague, la brume, à l'assaut des longitudes, dans le vacarme des grandes eaux et des vapeurs fusantes. Le rafiau remplissait l'espace comme un transat.

Guy se mit debout, se pencha vers le bruit nostalgique, écouta, tandis que s'animait son visage. Il se sentit, soudain, baigné de joie, inondé d'allégresse — guéri. Demain, il serait en mer : VERS ELLE.

★

Il venait de sortir des fonds mouvants, de l'attente, de l'alternative et de leurs épuisants gestes désordonnés. L'amant allait partir, *épouser, ramener*... Tout serait oublié, et ils vivraient en état de délices. De sa dépression, ne restait qu'une confiance trop grande, irréfléchie. Mais il venait de prendre sa décision... Malgré la réserve de la jeune fille, Guy avait discerné son étonnement de le voir admettre, sans parler d'union, ce qui était arrivé. Cela demeurait la seule et dernière chose à tenter, même pour se rendre un peu de force à soi-même. La décision l'avait surpris, galvanisé, trop fortement pour ne pas avoir une vraie

valeur. L'esprit voulait qu'on agît, par instinct de conservation.

*

Parvenu chez lui, Guy bondit dans l'allée.
La mère Marchal, hideuse, énorme et brave,
encombrait le chemin, chargée de lettres; elle
avait remarqué l'angoisse du jeune homme, et,
avec joie, lui tendit trois enveloppes. Un coup
de pouce — rien de là-bas — il éclata de rire
et fit voler les enveloppes... Il était déjà sur
les marches :

— Vos lettres, Monsieur de Réville ?
— ... m'en fiche !

La bonne femme en fut abasourdie : un
jeune homme si bien élevé, disait-elle à la voisine, pas un mot plus haut que l'autre, un
« noble » ! Il paye et rien à dire...

Guy était déjà en haut de l'escalier — et ces
étages d'atelier sont dignes des palais floren-
tins. Porte ouverte, il téléphona à la gare :
quatre heures devant lui, qui ne seraient point
perdues.

D'abord, l'argent. Grave : le 13 juillet...
Retarder ? Inutile puisque demain serait
l'ignoble fête nationale « ... ce jour où l'on
massacra les trente morte-paye de Launay,
rendues sur parole... Si, maintenant, des
voyous en faisaient autant à trente invali-
des !... On peut croire, après tout, que ce va-

carme du 14 juillet, c'est pour célébrer l'anniversaire de Rembrandt, né le 15 »... Peu d'argent, mais rien n'était compromis.

Il saisit une feuille d'or rectangulaire et assez épaisse; d'un coup de cisailles décidé, la coupa en deux morceaux; il retrouvait son entrain; prit une des plaques, la pesa au juger, comme les orfèvres arabes ou syriens, en serrant la plaque entre l'annulaire et le médius dont les tendons, moins sollicités, ont gardé la fleur de leur délicatesse. Il ne se trompa que de trois grammes et il en fut très encouragé : sa virtuosité reparaissait.

Puis, dévissant le couvercle de son porte-mine, il en fit sauter la gomme, et, pinçant deux perles du bout de sa brucelle, exactement par le côté méplat, il les déposa dans le tube : « ... me voilà avec cinq mille francs... Penser à l'alliance; aux alliances. Je les graverai là-bas... Quelques burins aussi... Mon Dieu ! la bague de fiançailles !! »

Il courut au coffre chercher des pierres, car rien ne lui semblait impossible. Il choisit un saphir pâle, violâtre, comme des flots sur des laves, et, avec des gestes aussi précis que ceux d'un chirurgien, il commença l'opération.

Prise dans la résine, la gemme fut sertie, il l'entoura d'autres saphirs très menus, très sombres, et il se ravit du rapport avec les prunelles claires et les cils noirs de son amie. La

langue du chalumeau qui faisait adhérer les
crochets de platine, était de l'ordre du dixième de millimètre : « ... Le saphir et l'aigue-
marine, ce sont SES pierres... », et il rêva un
instant : « Pourquoi, moi qui mets tant de
choses autour des objets, qui mets une âme
autour d'eux, n'ai-je demandé à cette jeune
fille que d'être un corps, un objet ?... ».

Hop ! tout au coffre ! Appel aux vigiles,
pour assurer la garde. Téléphoner aussi à Car-
tier, pour annoncer le retard des livraisons.
Une valise. Le bracelet de l'enfant, et en
route !

Il s'arrêta cependant au seuil de l'atelier.
Son destin changeait; Guy partait; un homme
partait, et non plus le jeune chien qui avait
vécu là. Rentrer ici avec elle... Elle poserait
ses pieds ici... Son coude trouerait le coussin...
Elle coucherait dans la petite chambre !... Il
eut une explosion de joie à le chavirer, ferma
la porte, tout balbutiant de choses douces, et
descendit l'escalier en chantant.

— Au revoir, ma bonne Marchal... Mais
oui, je les prends mes lettres ! La clef, pour le
vigile qui couchera... Et puis, tenez, pour
vous... Rien à faire suivre, non !

*

Un voyage de passion ! Une mer très dure,

des express, encore, des bacs, un tortillard.
Comme c'était loin, chez ELLE ! Mais toute
surexcitation, le deuxième jour, avait cessé;
une grande ferveur contrite s'établissait.
L'amant se sentait un pèlerin qui revient au
sanctuaire. S'il a péché, il apporte son repentir, et par son repentir, d'infinies puissances
de tendresse.

Et ce fut dans une allégresse d'absolution,
après quarante heures d'usure et d'amour qu'il
descendit dans la gare perdue.

Le couchant venait. Guy se trouva si vif
qu'il se mit à courir sur la route et qu'on dut
le prendre pour quelque évadé. Le premier
mille, il resta, certainement, le pèlerin joyeux,
mais, à mesure que se rapprochait la *réalité*,
diminuait la certitude. A la dernière crête, il
fut obligé de stopper; puis, à pas lents, pas à
pas, il gravit, et... pas à pas, il revit le paysage
inoubliable : les collines qui s'ouvraient en V,
leurs pentes rousses, la petite maison... l'étang...
la fuite bleuâtre, infinie, derrière la chaussée,
jusqu'à l'indigo sombre de la mer... LA MAI-
SON ! Il descendit tout suffoqué de battements
de cœur, et comme tiré en arrière à chaque
foulée.

Il parvint jusqu'au bord de l'étang; mais
quand il aperçut l'étrange demeure de pierre
se refléter dans les eaux insondables, il ressentit quelque chose de froid monter en lui, venu

sourdement des profondeurs; une émanation,
une grande bulle d'angoisse.

Il s'arrêta net, terrifié par une pensée atroce
et soudaine : depuis seize jours, ELLE pouvait
être partie; depuis seize jours, si ELLE était
morte, il n'en aurait rien su...

Il jeta sa valise dans le fossé et courut éper-
dument.

La double porte en ogives jumelles, noires...
La chaîne de la cloche... Sa main tremblait
tellement, avant de s'y crisper... Il osait à
peine... La cloche tinta un pauvre coup... On
n'avait pas dû entendre... mais, recommen-
cer ?... pas la force... Si ! Des chiens aboient,
et, ô bonheur ! ô folie !!! une voix pure
comme le matin qui chante...

— S'il vous plaît, chiens... Silence !

Il s'appuie au chambranle. — C'est trop
beau, trop doux ! — Il s'étaye, saisi dans un
cyclone intime qui le fait vaciller. Il perçoit,
au milieu des clameurs sanguines, un petit pas
qui progresse et fait crisser le gravier... Ah,
c'est impossible !... Un petit pas courait !...
Oh, siècles !... Un petit pas, qui s'arrête. La
poignée tourne... La porte s'ouvre... et...

ELLE PARUT.

III

ELLE était pâle; portait les cheveux plus courts et sa frange plus épaisse ; elle avait une robe de soie bleu-ardoise avec un tablier d'argent ; des bas gris ; des manchettes blanches.

En un quart de seconde, il reprenait contact avec les délices de son être, depuis ses lèvres jusqu'à ses chevilles de diamant. En une seconde, il reprit possession d'elle, profondément, comme la vague épouse un corps, en entier et sur toute la peau...

Avec une sorte d'appel sourd, il ouvrit ses bras qui palpitaient... Mais elle recula et rentra dans l'ombre... Il fit un pas. Elle écarta les paupières sur des yeux si grands qu'ils en devenaient surhumains. Et voici qu'elle pliait les jarrets, qu'elle renversait la tête avec une plainte; qu'elle ployait encore... Dieu !

Il se précipite, l'entoure, la soutient; mais elle semble perdre connaissance. Comme c'était beau ! Quelle arrivée fulgurante et qu'il devait être encore aimé !... Il la possède,

ELLE ! Il la serre contre lui, et se penche... Ah,
cette grâce... Mais, tellement pâle !...

Il voyait une bouche crispée, des dents si
serrées... Lui-même se sentait pâlir. Il la déposa doucement sur le banc ménagé dans
l'ogive, et prit une de ses mains : glacée ! La
jeune fille lui parut brusquement atteinte, si
atteinte qu'il s'affola; il appelait à grands cris,
serrant encore ces mains froides pour que sa
propre vie empêchât l'autre vie de s'enfuir
tout à fait.

Enfin, quelqu'un venait... La mère ? Une
dame vieillissante à cheveux blancs, fine :
« Mais vite ! », cria-t-il. Elle s'arrêta, avec
un violent sursaut de voir sa fille entre les bras
de ce Français qu'elle avait appris à redouter... : « Vite, venez ! Elle est très mal ! »

Elle accourut; elle parut ne vouloir remarquer que la jeune fille : « Il faut l'emporter... », dit la mère.

Alors il prit les nobles jambes contre lui, et
les genoux. Mais, sèchement, la vieille dame
intervint : « Les épaules ! »

Guy se cabra : « Non ! Je vais la porter
seul ! »

— Je vous aiderai, — répliqua-t-on... —
puis, dans une résignation pitoyable : —
Comme vous voudrez...

Et elle joignit les mains en regardant le solide jeune homme emporter son enfant.

Guy avança l'épaule pour soutenir la douce
tête, et, penché sur elle, il se sentait fondre
de tendresse en retrouvant le petit bouquet de
minuscules points bruns, près du nez. Mais,
comme elle était légère ! Autrefois, bien plus
lourde !... Il portait une fille de plumes, un
pauvre petit oiseau... La brise ramenait les
cheveux épars, et cela faisait des ombres tristes. Heureusement qu'elle était tiède... Pauvre
bouche !

— Par ici !

Il en avait une peur, de la cogner ! Enfin, il
l'étendit sur le divan du parloir, et sans accroc.
Il s'agenouilla devant elle qui gisait dans une
telle apparence tragique qu'il ne pouvait en
croire sa vue. Cette chose n'existait pas réellement...

La bonne dame s'affairait. Elle lui baignait
les tempes avec une drogue dont l'odeur pi-
quait.

— Oh !...

Voilà que, sous les cils noirs, les larmes per-
laient comme d'une source; qu'elles se met-
taient à courir, comme d'un ruisseau. La jeune
fille pleurait et, d'un seul coup, se retournait
contre le mur pour sangloter effroyablement
à se rompre ! Des sanglots qui la soulevaient
presque.

Guy chercha autour de lui. Il était seul. Où
était l'autre ?

— Mère ? Mère ? Au secours !

Cela lui vint naturellement aux lèvres : il avait tant pensé, depuis trois jours, à ce mariage, que, pour lui, tout était accompli. Mais, malgré son affolement, le regard qu'il reçut de la brave dame lui parvint au cœur, tels en étaient la reconnaissance, la joie surprise, le bonheur.

Elle ne semblait pas trop inquiète de l'état de sa fille. Elle s'interposa avec décision, toujours, mais dit, d'un accent changé :

— Allez ! Elle a les nerfs trop secoués par votre venue soudaine... Allez... Donnez-nous un quart d'heure, et il n'y paraîtra plus.

Il obéit, tournant sur lui-même, éberlué, un peu abruti, machinalement. Cependant, cette tranquillité maternelle lui paraissait le meilleur des diagnostics, et il sortit.

★

Il partit à la recherche de sa valise. Une petite chose vivante le rejoignit, littéralement folle de joie : le chien *bull-dog* qu'il avait donné jadis, et qui le reconnaissait comme de la veille. Le petit animal se tordait, jappait, s'étranglait de bonheur. Guy en fut touché presque aux larmes, lui aussi; il lui parut que tout le monde l'attendait, dans cette maison, la fille, la mère et le toutou... Guy arrivait pour les épanouir, tous, de joie; il amenait en

bagages une inépuisable félicité, une félicité
énorme, et comme Nick lui racontait tout
cela, il empoigna le chiennot et le baisa sur sa
truffe.

La tendre fille n'avait eu que trop de surprise, trop d'émoi. Dans dix minutes, Guy
pourrait revenir. Il s'assit sur le banc où il
l'avait tout à l'heure déposée. Nick sur ses
genoux, toute la langue sortie, cherchait un
coin de peau pour y imprimer sa tendresse.
L'amant, près de la porte, avec sa valise à ses
côtés, semblait attendre pour savoir s'il serait
reçu ou congédié.

Mais on l'appelait. Chien et valise en vrac,
il enjamba les marches. La jeune fille était
assise, ses yeux brillaient à travers les dernières larmes, et elle lui souriait, lui tendait les
mains.

★

Il connut là les meilleures heures de sa vie.
Près d'elle, délivré de toute contrainte, de
tout remords, sous le regard attendri et légèrement craintif de la douairière, il revivait.
L'avenir divin était devant lui, fixé dans la
ferveur. Pas une fois le manque de lettres ne
lui revint à l'esprit. Tout cela restait le passé,
la montagne de souffrances, abandonnée là-
bas, avec les falaises de la Hève. Il baignait
dans la joie. Il parlait gaiement de son voyage,
dans un dédoublement absolu, ne sachant pas

ce qu'il disait, ne prêtant d'attention qu'à
cette certitude de bonheur.

Jamais il n'aurait cru à une telle allégresse,
aussi effervescente, aussi envahissante... Il lui
était impossible de voir réellement sa tendre
fille, dont la présence entraînait une sorte de
diffusion étincelante, un papillotement, une
ébullition brumeuse. En fait, il lui était difficile de poser longuement les yeux sur elle;
elle restait là — cela suffisait — comme une
tiédeur obscure. Peut-être qu'après tant de
mal venu d'elle, sa vue provoquait encore un
peu de meurtrissure; une émotion si vive qu'il
s'en trouvait ébloui ; peut-être, aussi, la perception de cette torpeur où elle semblait enfoncée et qu'il ne voulait pas approfondir
afin de préserver sa joie.

La mère, ayant senti son plaisir d'obéir,
commandait ; oh ! sans jactance encore, et bien
étonnée ! Guy jouissait en effet de se plier à
cette autorité qui lui conférait une place familiale ; et, dans ce sentiment neuf, il se
montrait si soumis, si automatique, que sa
docilité fit naître chez l'enfant le seul sourire de la soirée. Etre un gendre, mais c'est
une chose exquise puisque cela signifie qu'on
est le mari de la fille...

La belle-mère décida qu'il fallait abréger
la soirée, après des émotions telles... Guy acquiesça, navré, mais du premier coup — et

puis, n'avait-il pas l'éternité devant lui ! La
jeune fille se leva immédiatement ; elle vacil-
lait, titubait un peu ; elle vint vers Guy avec
une sorte d'hésitation hypnotique, bien eni-
vrante pour son ami. Elle le regardait avec
quelque effroi. Lui, plongeait ses yeux dans les
vastes yeux qui approchaient. Elle s'arrêta
contre ses genoux ; il était assis ; il prit les
deux mains de velours blanc, les croisa sur
sa poitrine à lui, en fermant les paupières,
et, l'une après l'autre, deux fois, les baisa.

Mais il ne l'embrassa point. Cela, devant qui
que ce fût, était impossible. Une si formidable félicité ne serait pas réduite à un baiser
du soir, attendu, enfantin.

Alors, elle se retourna, alla vers la porte
avec lassitude, l'ouvrit pour la refermer très
lentement, en regardant en arrière, sans sourire.

*

Il déballa tous ses projets devant Mamy,
avec la joie de donner de la joie, et une disposition de générosité sans limite. Puisque la
mère avait connu ce qui s'était passé entre
eux, il se devait de la rassurer formellement.
C'eût été, d'ailleurs, bien difficile de parler
aussi catégoriquement de l'avenir devant l'enfant qui aurait peut-être discuté — était-il si
parfaitement sûr de son adhésion ? — tandis

que, dans les hochements de tête maternels,
on ne pouvait imaginer que des approbations.
Il prenait aussi une sensualité confuse à évoquer leurs amours devant celle qui *savait*... Ne
lui soutirait-on pas ainsi un consentement
dans le passé ?... A ne pas regarder de trop
près, c'te sensation-là !...

Il parlait avec volubilité, mais s'interrom-
pait brusquement, le nez en l'air, si un bruit,
au-dessus d'eux, pouvait révéler quelque
chose... Il restait alors figé et ravi.

— Eh bien ? — demandait-on, malicieuse-
ment.

— Oui, c'est vrai...

Et ils se souriaient, complices.

*

Le crépuscule n'en finissait pas... Guy sortit
pour retrouver le paysage comme une personne, qui, elle aussi, vous attendrait et qu'on
aime. Puis, il éprouvait un besoin égoïste de
rester seul pour savourer complètement son
bonheur, le prendre corps à corps.

Il regarda, il s'imprégna : un profond étang
triangulaire, isocèle, dont la base aurait été la
chaussée d'accès, pris entre des collines ro-
cheuses. Derrière le barrage, bâillait un grand
trou d'ombre bleu, bleu sombre maintenant,
d'où pouvait monter de l'effroi. On avait édifié
là un prodigieux travail, dans des temps très

anciens ; exhaussé cette nappe d'eau avec une
volonté et une puissance cyclopéennes.

Guy s'avança sur la chaussée et plongea ses
regards dans le gouffre. Sur le fond même
de la vallée aplanie, et des siècles auparavant,
une importante demeure avait été construite.
Le barrage monstrueux l'écrasait, la faisait
se tapir. Un escalier infini, qui paraissait infini,
descendait vers elle en paliers successifs, dont
les dernières marches s'imprécisaient. La maison de pierre était de belles proportions, avec
une longue façade et des lucarnes sculptées.

Elle avait été certainement construite par
le même propriétaire que celle d'en haut, si-
tuée, elle, à la surface, au bord de l'étang.
Elle reproduisait la même disposition et les
mêmes décors. En bas, l'atelier, sans doute,
la fabrique, et, en-dessus, l'habitation. On de-
vinait que le maître du logis inférieur avait
pensé qu'un moment viendrait où il faudrait
quitter nécessairement l'humide et l'obscur
pour remonter à la lumière.

*

Le voyageur était pris par le complet, l'extraordinaire silence. Après les trains, les paque-
bots, après la ville, son oreille restait affectée
d'une attention incessante vers le bruit ; d'autant plus que le bruit venait d'être la preuve
de sa marche en avant. Toutes ces sonorités

pleines de promesses retentissaient encore
dans ses méninges, et voilà que ses tympans
étaient devenus inertes, malgré leur excitation.

Il lui fallait un raisonnement à rebours de
son automatisme pour saisir que le silence était
de même signification heureuse que les anciens bruits ; que le silence était l'aimable
issue de tous les vacarmes et voulait dire :
« Arrivé ! »...

★

Malgré tout, un vide sonore si absolu le
troublait : pas un chuchotement de cascade,
pas une flûte de crapaud, pas un cri de
chouette. Et le trop-plein de l'étang ? Près
des escaliers, il avait bien remarqué un ancien
déversoir, mais qui semblait n'avoir jamais
servi, complètement envahi par l'herbe et bien
trop élevé pour le niveau. Par où fuyait l'eau
mystérieuse ? Il regarda avec plus d'attention
et ne vit rien, dans les profondeurs obscurcies,
qui rappelât un ruisseau. Aucun mouvement,
aucune vie. Cependant, la maison d'en bas
était habitée : de l'air tremblotait au-dessus,
comme en été sur les routes chaudes. On devait
y faire du feu.

Mais le vide auditif était rapidement
comblé par une autre plénitude : celle des parfums. De ces vallons resserrés, remplis de
plantes solaires, venaient de si fortes odeurs,

si puissantes que la vacillation de l'air chaud
au-dessus de la maison paraissait le mouvement de leurs ascensions. Une exaltante odeur
de résine évaporée, avec des mélanges de
thym, de fenouil, de menthe, et, suprême émanation, de frais relents d'eau brune.

Odeurs sauvages, mais portant en elles un
si grand pouvoir d'attraction, une telle force
nostalgique qu'autrefois, dans son attente, un
seul de leurs éléments venant jusqu'à lui,
abattait toute sa force...

La nuit tombait ; très bas rentraient des
vols frissonnants de corneilles, sans un cri. On
entendait seulement le froissement soyeux de
centaines d'ailes. Pays du silence; pays des
parfums... comme on devait être bien en toi
pour aimer de toute son âme !

Il entoura de tendresse visuelle la petite
maison où ELLE dormait, si proche, embaumée
dans le rêve et l'amour. Capturée, la libellule
brillante, fragile, en ses mains !... Comment,
dans un corps d'homme, si gonflé de joie, pou-
vaient encore marcher des poumons, du sang ?
Plus de place ! Guy aurait voulu se sacrifier,
se donner follement, pour rien : s'arracher le
cœur, pour le jeter, en passant, dans SES vitres.

*

La bonne dame l'attendait ; elle le précéda
vers sa chambre, tout en haut, au second étage,

dans les combles du grand toit. Ils passèrent, au premier, devant une porte blanche... Guy, qui avait déjà repéré toutes les dispositions, et surtout la plus importante, devina, et, malgré lui, marqua un temps d'arrêt.

La mère le regarda avec de la timidité, de la confiance, de la supplication...

— N'ayez crainte, — dit-il, et son visage exprima un contentement tranquille et sûr de soi : — maintenant, elle est ma fiancée...

Et, cependant, cette malheureuse qui avait vu dépérir sa précieuse enfant, eût peut-être tout accepté, tout souffert, domptant ses révoltes instinctives, tout son passé bafoué, pour voir revivre sa fille, la voir rayonner de nouveau... L'irradiation de certains êtres devient une nécessité, — presque vitale, — en dehors même du sentiment maternel. Alors, quand il s'y mêle... !

Mamy le précédait. Il allait suivre, mais il fit un pas en arrière et baisa doucement, furtivement, le panneau clair.

— Cette maison était l'habitation du maître des ateliers d'en-dessous, — expliquait la vieille dame. — On dit que c'était un batteur d'or, un orpailleur, aussi. Il y avait, aux siècles passés, de l'or dans nos rivières et nos montagnes. Cet homme devait être bien poltron pour avoir combiné tant de moyens de se défendre ; ou bien méchant, pour attaquer sans risque !...

Figurez-vous que l'escalier est double... Oui !
Autour de celui que nous venons de gravir,
un autre s'enroule... Minuscule, mais qui permettait de tirer sous les marches, à travers
les parois du grand. C'est drôle, n'est-ce pas,
que nous, si tranquilles, nous deux qui trem-
blons devant une souris, habitions dans une
maison de combat. Nous connaissons trois cachettes, que Chérie vous montrera puisque
cela vous intéresse.

Elle lui dit bonsoir avec presque une révé-
rence. Tout montrait son contentement, son
espoir. Le bonheur allait-il, avec ce net garçon
qui se rachetait si bien, venir enfin se poser
sur leur toit ?

*

Guy se ravissait d'être là, d'être dans cet
alvéole romantique, de déguster, atome après
atome, la délicate odeur de pierres humides,
de fougère verdissante qui l'emplissait comme
un écho des vieux âges ; de voir, sur la cheminée, des chandeliers portant leurs éteignoirs
au bout d'une chaînette. De savoir, surtout,
qu'il était juste au-dessus de l'autre chambre.
Connaître, par le plan qu'il avait obtenu de
sa chère fille, que leurs lits se trouvaient absolument fixés de la même manière. En se mettant un peu à gauche, il dormait presque à ses
côtés.

IV

LE lendemain matin, régnait dans toute l'île la lumière irisée qu'il doit faire dans les bulles, avec des éclats d'argent, furtifs, des lueurs prismatiques ; une lumière emplie de joailleries secrètes, de mobiles pierreries. Des écharpes immatérielles se dissolvaient, se séparaient, glacées, givrées. Merveilleuse alchimie d'eaux, de rayons, de buées, où s'évaporaient les collines, où se moiraient les courants. Du bleu attendait là-haut, par-dessus les vapeurs.

Alchimie d'une belle journée, d'une glorieuse journée... Quand l'amour délicat peut y placer ses fêtes, alors, peut-être, pourrait-on pardonner, à Dieu, sa Création.

★

Quelle délicieuse chose que de se réveiller dans la joie, de ne plus être accueilli par une pensée-bourreau, dès le réveil.

Guy, à sa fenêtre, eut envie de crier lon-

guement, de *chouanner* à toute gorge pour
réveiller le vallon, pour entendre sa voix
triomphale prendre possession des échos. Mais
ces manières-là, oubliées depuis longtemps,
n'étaient pas de mise ici, où il y avait le sommeil de l'enfant et la respectabilité de tout
son petit monde. « Silence, chien, s'il vous
plaît !... » Il huma l'air vif qui se plaquait
sur sa peau et descendit pieds nus pour n'éveil-
ler personne. O porte blanche !... L'entrée de
la maison était barricadée comme pour un
siège ; il sauta par une fenêtre, enleva son
pyjama, et bondit dans l'eau froide.

Il lui fallait se mêler à l'eau ; l'eau lui appartenait ; il l'étreignait, la battait, la buvait, la
crachait, l'eau était sienne. Il plongeait, il
remontait comme un liège, et flottait sur le
dos, immobile, faisant le cadavre, la poitrine
pleine d'air et le masque dépassant seul. Rien
ne pouvait donner pareil apaisement.

Il était donc là, étendu dans l'eau, et, lui
semblait-il, uniquement porté par l'air de
ses poumons. Peut-être cependant flottait-il
moins facilement que d'habitude : « J'ai dû
maigrir », se dit-il avec du mépris et de l'orgueil. Orgueil préhistorique, de voir son cerveau influer sur sa forme charnelle : l'orgueil
de l'amant qui se dessèche... « Il n'est pas
donné à tout le monde de désirer aussi fortement. »

En se retournant pour avancer de nouveau, il sortit les oreilles et entendit alors des appels rythmés, sans hâte mais fortement lancés. Il se mit debout dans l'eau et vit, sur la rive ouest, un grand gaillard qui ajoutait, à ses avertissements oraux, des gestes indicateurs : « Par là... Par là ! »

« Sans doute est-ce pour moi... Mais que crie-t-il ? Aurait-il peur que je me noie ? Ce serait drôle... »

L'homme, indiscutablement, indiquait qu'il fallait revenir : « Revenons pour lui faire plaisir... »

Et de son *crawl* de plus haut style, Guy tendit vers le rivage. Il avançait à toute vitesse, refoulant autour de lui de lourdes ondes écumeuses, comme les marsouins. L'inconnu attendait, pensif, près du pyjama. En approchant, Guy fut étonné par sa stature : il était gigantesque et d'une largeur d'armoire ; maigre, avec cela, car ses culottes courtes découvraient des os. Mais, l'anormal, c'étaient les épaules tombantes, sommées d'une très petite tête sombre, comme une chevrotine à la pointe d'un triangle.

Le nageur ralentit, prit la brasse pour mieux voir son interlocuteur. Les yeux de l'homme frappaient dans cette face réduite. Ils étaient très beaux et d'un éclat singulier, encore augmenté par le bistre général, le noir de jais

des sourcils. Du poil gris, sous la casquette.
Bon chic.

Guy retrouva pied ; il interrogea du regard ; l'homme leva le doigt :

— Déversoir souterrain... Dangereux, très...
Cependant, si j'avais su comme vous nagiez !...

Et, sensible à la maîtrise du nageur, peut-
être aussi à la qualité du pyjama, à ses initiales
couronnées (dernier vestige : cela fait si bien
sur la soie !), il se présenta : un titre militaire,
suivi d'un nom qui rappelait quelque chose...
Il ajouta, hargneusement : « Les accidents ne
sont pas essentiellement agréables au propriétaire... » Et il s'en allait quand le nageur,
enchanté de faire de la courtoisie à poil, s'inclina, souriant pour marquer le comique et
se nomma à son tour : « Guy de Réville »,
demandant la permission de continuer...

Ainsi, dans la magnificence de son corps
brun aux hanches étroites, son long cou, son
menton puissant et ses yeux verts, il aurait pu
annoncer Acchileus, Dyonisos ; Apollon,
même... Le sire le regarda avec une acuité singulière, toucha sa casquette, et, après un signe
de tête, tourna ses vastes talons plats.

*

Guy renfilait ses vêtements quand il entendit, pas loin, des abois vifs : deux énormes

danois, de l'espèce la plus haute, la plus re-
cherchée, bringés et blancs, accouraient au
grand galop. Leurs intentions lui parurent si
précises qu'abandonnant son pyjama, Guy
franchit d'un bond de torero le mur du jardin. A temps. Les bêtes furieuses déchiraient
le vêtement en remplissant l'air de leur fureur.
Vingt secondes de retard eussent été payées
cher.

Mais lui, riant de combattre comme un
guerrier d'Homère moins le casque brillant,
trouva une bêche et se rua à la bataille. Vitesse, décision, manœuvres adroites de la pelle,
contacts choisis, hurlements. Un danois, vi-
goureusement touché, hésita. L'autre plia
l'échine sous un coup tranchant, puis, les
Troyens fuirent, paniques, poursuivis par
Nick, qui, lancé comme un marron noir, dans
ce prodigieux courage du *bull* qui attaquerait
un éléphant, accourait au secours, et les couvrait d'injures.

Mais que pouvait donc penser cet abruti de
major-je-ne-sais-quoi ? Impossible qu'il n'eût
pas entendu les clameurs de ses fauves. Le propriétaire s'en allait à pas d'un mètre, semblant
se désintéresser, oh, mais complètement, de
ce qui pouvait se passer au bord de son lac !
S'il n'aimait pas les noyades, était-il indiffé-
rent aux massacres ?

★

Deux heures après :

— Comment va-t-elle ?

Mamy venait d'entrer, habillée dès le matin comme pour recevoir.

— Je crois qu'elle aurait assez bien dormi ;
mais elle semble très lasse. Elle tente de repo-
ser encore... Elle vous fait dire mille choses...
et espère bien faire, avec vous, une belle promenade, après déjeuner...

« Mille choses !... » Banalité, mais, c'était
une traduction... Guy prononça, lui aussi, les
mots usuels, établit le contact, et puis demanda
avec fermeté :

— Ne croyez-vous pas, Madame, — il ne
put arriver à dire « mère », — que je pourrais quand même la voir ce matin ? Tient-elle
à rester seule si longtemps ?...

L'assurance de la digne femme flanchait
vite... Elle répondit, troublée :

— Si elle pouvait dormir !... Elle souffre
d'insomnies qui me font peur. Le matin, seulement, elle arrive à sommeiller. Son change-
ment, depuis trois mois, m'a rendue bien souvent anxieuse. Des crises comme hier ? Elle
en a eu plusieurs fois. Pendant deux jours, elle
se traîne... Je me demande si votre promenade
de ce soir ne devra pas seulement se passer
au salon.

Ils entrèrent dans le petit parloir où, la veille, il avait déposé la jeune fille. Le soleil brillait et envoyait ses faisceaux de projecteurs entre les meneaux. La pièce recélait de jolies choses anciennes, délicates, et d'affreux sièges ventripotents, bassement confortables. Guy s'assit, mélancolique : il se sentait de la fatigue et une amertume déçue. Il lui prenait quelque envie de secouer, de secouer seulement, les liens gentils qu'il avait laissés se nouer autour de lui, la veille, et d'envoyer *bouler* un peu la belle-mère ; qui ressemblait terriblement à une vieille fille, d'ailleurs.

Mais elle était fine et bonne joueuse, car, au moment où le jeune homme fixait sur elle des yeux assombris, elle eut, merveilleusement mimée, une très rapide expression de prière, qu'elle aurait pu nier si cela eût été utile, tellement ce fut vif. Guy s'en trouva immédiatement rendu à la bonté.

Rassurée, alors, la maîtresse de maison s'occupa de petits rangements, déplaçant, essuyant, adroite et minutieuse. Guy était sans aise. Cette femme, malgré tout lui restait étrangère... Enervement ? Lassitude ?... Du calme, et de la *continuité*, surtout !

On voyait au mur de bons portraits anciens, des gens du XVIIIe siècle. Il essaya de se réjouir en songeant que celle dont sortirait sa race, détenait, elle aussi, des hérédités de courtoisie et de finesse. L'idée d'admirables enfants, avec des yeux énormes et des fronts saillants, s'accrochant aux belles jambes de leur mère, lui chauffa l'esprit et le cœur. Il vit un ruisseau de chairs roses, de membres ronds, de boucles sombres ; un ruisseau, un ruisseau babillard de petites créatures sorties de cette fille claire... « Le monde moderne n'est pourtant pas fait pour la prolifération », pensait-il, « mais les gens de notre classe doivent le changer, ce monde. Le peuple n'a plus que des enfants d'alcool : à nous de refaire la race. »

La vieille dame rangeait toujours : elle vidait les coupes pour en chasser ce dépôt végétal, animal, minéral qu'est la poussière. Elle se pencha sur l'appui extérieur de la fenêtre afin d'y prendre quelque chose qui scintilla au soleil. Guy eut une sorte de surexcitation professionnelle, inconsciente, une sensation d'être ailleurs, d'être à l'atelier, jadis... Des perles : un collier, son collier...

Il tendit la main : « Donnez ! » suppliat-il, avec l'avidité de tenir quelque chose appartenant intimement à la jeune fille.

Mamy le comprit, et, prenant le bijou par le fermoir, comme l'on tiendrait un serpent par la queue, l'apporta, avec quelle moquerie tendre ! au-dessus des paumes du jeune homme, qui le reçut amoureusement.

Il éprouvait une impression bizarre : telle

était la force de son imagination en présence
du collier qu'il le croyait tiède encore, sortant
du cou et de la poitrine ; et voici que l'objet
se repliait en petits contacts glacés... Les perles
étaient jolies, grosses et bien imitées ; étonnamment... Tout à coup, il se pencha comme
pour les baiser... Celle qui le regardait attendait certainement ce geste-là — ça devenait
courant : atmosphère de la maison — mais
Guy souleva le bijou avec un froncement de
sourcil ; le mit sur le dos de sa main, se leva,
gagna le rayon de soleil, inclina les globes lai-
teux en jour frisant. Il les considérait avec une
tension extrême...

— Mais, qu'est-ce qu'il y a ? — demanda
la vieille dame, presque inquiète.

Il eut l'air de ne pas avoir entendu ; il pesait
le collier à sa manière habituelle ; sur ses traits,
de la sévérité et de l'angoisse... Puis, il releva
le front, et, regardant interrogativement son
hôtesse :

— Madame... — fit-il, sourdement, — elles
sont magnifiques... elles sont VRAIES...

— Comment !

Il énonça comme pour lui-même le résul-
tat de son investigation :

— Ce sont, je crois... J'en suis sûr !... des
perles du Bengale, presque toutes parfaites,
exceptionnelles, même, par leur groupement
et la qualité de leur orient rose... Il y en a là

pour une énorme valeur, mon Dieu !... Mais comment les avez-vous ?

Il rougit violemment :

« Pardon, mais... — il était dans une impasse. Telle serait aujourd'hui la qualité conférée par le sale argent qu'il est littéralement impossible de faire entendre à quelqu'un qu'on l'en suppose démuni, sans l'offenser gravement.

— Certes, — Mamy sourit, — nous sommes moins fortunées que nos voisins ducs et pairs, quoique nous ne manquions de rien, mais nous ne pourrions quand même acquérir des bijoux de si grande valeur... Cela vaudrait donc tant d'argent ? — demanda-t-elle, avec une note très juste de curiosité plus que de cupidité.

Guy eut un geste désolé : « Une fortune... » murmura-t-il.

— Mon Seigneur ! — s'exclama la vieille dame; — eh bien, c'est une étonnante trouvaille... A qui, jamais les rendre ?

— Vous les avez trouvées ?

— Oui, moi-même, il y a quelques semaines.

— Où ?

— Ici ; dans cette pièce...

Elle se dirigea vers la fenêtre basse ; dans son embrasure, il existait une petite armoire très étroite. Elle l'ouvrit et montra une sorte de double fond, dans le placard, qui se levait comme un de ces tiroirs dits secrets, et qui sont, le plus souvent, la première chose apparente dans un meuble. On y voyait encore des monnaies de bronze, trois pièces d'argent, et une toute petite en or :

« Je pense que c'était la place de la maîtresse de maison, autrefois, et que cette armoire lui servait de resserre à argent pour régler les fournisseurs qui entraient directement par cette porte, alors ouverte sur l'extérieur. Peut-être aussi, pour ses aumônes les jours d'été, quand elle se tenait là, près de la fenêtre. C'était l'ancienne mode, jadis ; avant les migrations, dix fois plus de monde passait devant la maison.

*

Guy regardait les pièces anciennes. La petite rondelle d'or était un sequin de Venise, avec un doge en bonnet cornu...

— Une énorme somme, — reprit Guy, — et si l'on détaillait le collier... Non, c'est de gradation trop parfaite... Mais, on a remis le fil, et pas un professionnel. Quelle imprudence ! sans nœuds intermédiaires ! ! S'il se rompait, toutes tomberaient.

— Oui, c'est nous ; nous étions si loin de penser...

— Si vous voulez le vendre... — fit Guy avec effort.

Mais l'hôtesse était de bonne maison :

— Le vendre ! Mon cher garçon, est-ce qu'on vend les présents des fées ? Si nous ne trouvons pas à qui les restituer, Chérie les portera au cou, vaudraient-elles tout l'argent de la Banque Impériale... La maison vient du grand-père de mon mari, qui fut un homme de condition aisée, mais qui ne pouvait sans doute pas faire des cadeaux pareils...

Guy considéra encore les perles. Il étudia longuement l'incidence des rayons, l'irisation qu'ils déterminaient sur les surfaces miroitantes. Il y mettait de l'âpreté, presque de la colère. Il haussa les épaules : le XVIIIe siècle !...

« J'avais défait le collier, hier, — reprit la mère, — pour la soigner. Ah bien, si je me doutais jamais de ce que j'ai abandonné là ! Toute la nuit dehors, j'en aurais eu de l'insomnie ! Quelle figure va-t-elle faire quand je vais lui dire : « Madame, vous avez au cou un collier de duchesse... Ne sautez plus jamais par la fenêtre !... » Mais, tenez, mon cher garçon, j'ai tant de respect pour son sommeil que je n'irai pas avant onze heures lui annoncer sa chance. A côté, il y avait plusieurs épingles brillantes que nous avons crues fausses... Où sont-elles, Mon Seigneur ?

Elles furent retrouvées dans un affreux vide-poche-souvenir.

— Eh bien ?

Guy sourit en les rendant :

— Quat' sous! — dit-il : — *Two pences!...*
Elle éclata de rire.

Mais le jeune homme redevenait grave. Tandis qu'elle vaquait toujours à ses rangements, lui restait perplexe, soucieux ; une phrase se formait, retentissait en lui : « ... Ces perles ont été polies à Amsterdam et récemment : après 1890... Après 1890 !... »

V

Guy restait seul : l'indubitable, c'est que, pour les deux femmes, le collier, hier encore, semblait sans valeur. Quel que soit son souci, on ne laisse pas à l'abandon un bijou pareil. Ou, si cela vous arrive, on pousse au moins une exclamation d'effroi rétrospectif en le retrouvant !

D'où venaient ces perles ? Achat ancien, trouvaille de jadis ? Vol ? Un domestique ? Le père de ?... Allons donc, inadmissible ! Peut-être que celui qui l'avait déjà trouvé en ignorait, lui aussi, la richesse...

Ne plus s'en préoccuper. Admettre. Réagir contre cette amertume, ce dépit. Guy se trouvait dans une situation absolument opposée à celle qu'il jugeait si douce. Il avait peu de biens, mais de quoi rester à l'abri des soucis dégradants, et il gagnait des sommes considérables par son travail. Alors, il se réjouissait d'apporter ici un confort nouveau, le vrai luxe, même, à sa petite fille, dont il jugeait très modestes les possibilités. Et voici qu'elle possédait une sorte de trésor... Des perles d'un tel orient, par quel coefficient multiplier leurs grains pour en calculer la valeur? C'était humiliant.

Au moins, s'il s'était déclaré la veille : aujourd'hui, elle pourrait croire... Mais il se gourmanda brutalement : fallait-il que la dure époque l'eût lui-même gangrené pour qu'il pût, une seconde seulement, supposer la jeune fille capable d'imaginer un intérêt ! Ces femmes, d'une évidente qualité morale, quel massacre sa grossièreté avait fait là dedans !

Eloigner cela ; mais, malgré tout, douloureux de passer du rôle de Prince Charmant à celui de Prince Consort ; exactement !... S'il avait donné ses bijoux la veille !... Allons donc, ses bijoux ne devraient compter que par leur intention et leur beauté, leur art. Il se reprit en main, se refusant à la meurtrissure indéfinie, au « vague à l'âme » ; NON ! Netteté claire ; un esprit comme une clinique. Refaire de la course à pied chaque matin, savourer la vie superbe.

Et, six mois auparavant, pareil soliloque lui aurait conféré instantanément une excitation positive, mais les souffrances avaient mortifié ses facultés profondes; il n'arrivait qu'à l'inertie inquiète...

Cependant, il rit avec franchise quand Mamy lui avoua, en partie par jeu, en partie par conscience calviniste, qu'elle était montée là-haut pour annoncer le collier, malgré tant de belles déclarations. Mais Chérie dormait, et sa mère en restait pour sa courte honte et son remords. On ne dérangerait plus la jeune fille. La bonne dame se saisit avec une ardeur juvénile d'un cabas de rafia, dont elle sortit une tapisserie à points énormes, au point de croix, jaune et noire, capable d'irriter un Zoulou. La tapisserie expliqua aussitôt à Guy les incohérences du salon.

Mamy prenait un vif plaisir à ce travail ; ça se voyait. Elle reculait la tête, en se penchant.

— Mère ?...

Elle s'interrompit, tout irradiée d'entendre à nouveau la promesse.

« Qu'est-ce que *le Major* ? Le propriétaire de l'étang ? »

D'abord, curiosité, avec les petits cris de rigueur, prévue. Dire le bain : « Malheureux enfant ! Se baigner dans cet étang, mais personne n'ose plus le faire ! Il y a eu des accidents, trop nombreux, et l'on ne retrouve jamais les noyés ! »

En effet, raconter comment le major était intervenu... Elle répliqua, non sans humour : « Tiens ! j'aurais pensé qu'il eût attendu le

dénouement avec beaucoup d'intérêt... Il s'en-
nuie... »

Au souvenir des chiens, Guy en avait aussi
l'impression. Quant aux noyés, il pensa au déversoir souterrain, et vit une noire rivière s'enfonçant en biais dans le sol :

— Il a vraiment l'air singulier...

Plus question de la tapisserie : le sujet devait
être particulièrement agréable, excitant. Peut-
être que c'était simplement *un sujet* : un
grand diable très beau qui vous débarque tout
droit de l'étranger pour épouser votre fille,
mais qui paraît assez morose, en somme, et
peu facile à entretenir... Elle répéta comme
les esprits lents :

— Qui est le major ?... — Elle réfléchit :
— Oh, on a dit tant de choses que je ne sais
par où commencer, ni quoi dire, en fait, à mon
tour. Voici d'abord sa situation par rapport à
nous : notre plus proche voisin. Il demeure
dans la maison d'en bas. Jadis, il n'y venait que
par intervalles assez éloignés; depuis un an, il
s'y confine. Il est cadet, mais très riche, ayant
en propre hérité d'un oncle, tout ce pays. Notre maison seule ne lui appartient pas. — Elle
hocha la tête : — Il a d'abord eu une carrière
très brillante. Certains prétendent qu'il n'a
pas quitté l'armée volontairement, mais à la
suite d'histoires dont je ne saisis pas très bien
la gravité... la gravité, dans les combats qu'il

a soutenus. C'est un colonial. On a parlé de
cruautés trop fortes, de châtiments trop sévères...

« En somme, — reprit-elle, — je ne m'en
étonnerais pas trop. J'avoue qu'il me fait bien
souvent une peur abominable... Il vit comme
un loup. Jamais personne ne vient chez lui. Il
ne fait guère de visites qu'ici, et encore, maintenant, elles sont devenues rares. Moi, je vais
chez lui deux fois par an. Il a disposé son rez-
de-chaussée en une seule pièce remplie de statues, très belles, paraît-il, mais qui me laissent
froide. Ma fille assure qu'en voyant mon ouvrage, — elle montre son tissu infernal, avec
un joli rire de vieille qui fut charmante et gâ-
tée, — on comprend tout de suite. »

« C'est vrai ! » pensa Guy.

« Je n'arrive pas à sympathiser avec cet
homme-là. Il est poli mais, parfois, il a l'air
de vous laisser entendre que si vous mourriez
là, sous ses yeux, dans son fauteuil, cela ne
l'empêcherait pas de tambouriner des doigts
sur la table. Puis, aussi, tout à coup, il ne vous
parle plus : il regarde derrière vous avec des
yeux si terribles qu'on se dit : « Mon Seigneur, je vais recevoir un monstre sur le
dos... » Cependant, il est parfois acceptable,
surtout quand il est malade; alors, il semble
reconnaissant de la moindre sollicitude... On
assure qu'il est bon et donnant. Chérie avait

du plaisir à parler avec lui, et lui, il semblait faire des frais pour elle, autrefois. Il est certainement un peu fou... C'est un Anglais...

« Comme elle est bavarde !... » songeait Guy : « la fille et la maman, deux pies sur une pelouse. »

Elle reprit :

« La maison d'en bas vous intéresserait certainement. Chérie affirme qu'on y voit des choses de tous les pays du monde et que c'est très beau. Seulement, il n'est pas facile de vous introduire ; le major n'est pas accueillant ; il n'admet pas les visites « pour la maison », comme c'est pourtant d'usage à la campagne, où l'on distrait ses hôtes comme l'on peut, — finit-elle avec quelque rancune.

— Et il vit toute l'année dans cette fosse humide ?

— Pour l'humidité, ne le plaignez pas... Figurez-vous qu'il se chauffe été comme hiver. Fonctionne, là dedans, un épouvantable calorifère qui souffle des trombes à vous brûler les chevilles. En hiver, c'est parfois difficile à supporter ; alors, en cette saison !...

« Il chasse le sanglier tout seul, solitaire contre solitaire. Il aurait même tué un lynx, ce qui est très rare ! Personne n'est invité quand il pourrait recevoir tout le voisinage, mais comme il a bien marqué qu'il s'y refusait, on lui tourne le dos. Peut-être à cause de ses histoires... Enfin, on est bien obligé de l'inviter aux courses du pays, comme le plus grand propriétaire foncier du district. Eh bien, je l'ai vu éviter son cousin issu de germain, le duc ! Il n'a parlé qu'à nous (pointe de vanité féminine ? ou bien, légère appréhension d'être affichée ?).

La conversation fut interrompue par la petite soubrette en noir qui composait le personnel juvénile de la maison ; elle était bien jolie ; on venait quérir Madame pour un enfant tombé dans quelque marmite de porridge.

Madame s'affaira, visiblement flattée qu'on reconnût ainsi, devant un étranger de telle valeur, sa renommée thérapeutique ; d'origine bizarre, en vérité, mais comment ne pas respecter les coutumes du pays où Dieu nous a fait naître ? Elle possédait d'excellents principes de chirurgie usuelle, domestique, mais, surtout, se trouvait la cinquième de cinq filles, et une telle naissance confère, paraît-il, des pouvoirs tout spéciaux. Entre autres, elle agissait étonnamment sur les brûlures : pas de bouffioles, pas une cloque. Chérie assurait qu'elle aidait efficacement ce don par l'emploi d'un remède du Codex, la chaux et l'huile ; mais Chérie trouvait à rire des choses les plus sacrées...

*

Guy revint près de la fenêtre ; cette ma-

tinée ne s'achèverait donc jamais ! Cette fille
ne se lèverait qu'avec la lune ! Il vit se déve-
lopper le fameux étang, pris dans sa rectitude
presque géométrique. L'esprit, une fois pré-
paré, distinguait peut-être, vers le milieu de
la chaussée, une sorte de dénivellation tour-
noyante, un vortex, et c'était là, sans doute,
la succion du courant souterrain, du déversoir. Evidemment, un corps sans vie, abandonné à lui-même, pouvait bien s'enfiler sous
la terre. Guy connaissait le pays à fond, non
tant par ses promenades, car il n'y était venu
que furtivement, jadis, mais il avait tellement
travaillé le terrain, chez lui, sur la carte, pour
y revivre en imagination, que la topographie
lui était familière. Le courant devait alimen-
ter le bas pays, sous forme de ruisseaux, de
sources. L'apport liquide était considérable
puisque tous les poissons de l'étang apparte-
naient aux espèces d'eau courante.

Un peu à droite, et sur l'autre rive, son œil
fut sollicité par un mouvement : un des grands
danois de ce matin allait et venait sur la berge.
Guy prit une lorgnette qui attendait sur la
table et encadra le célèbre major, assis à même
le sol, les bras noués autour des genoux. Le
major restait aussi immobile que les person-
nages chaldéens en basalte noir, qui, dans
cette même posture, encombrent les musées.
L'homme était exactement tourné vers l'ob-

servateur et Guy fut presque gêné de ren-
contrer son regard dans les verres de sa lunette,
comme si le rêveur eût eu les yeux fixés sur
lui, à quinze cents mètres de là.

*

Il reposait sa lorgnette, quand, subitement,
quelque chose changea dans la pièce. La porte
du salon venait de pousser son gémissement
caractéristique... La porte du salon s'ouvrait.
Guy sentit qu'il se faisait en lui un grand vide,
une aspiration de toute sa vitalité. Il attendit ; si ce n'était pas ELLE, conserver quelques
secondes de plus son espoir, ou s'épargner une
déception. Même si ELLE venait, il en était à
presque redouter un émoi trop fort. On devait s'arrêter, derrière lui... Il se pencha, comme
s'il regardait au loin avec beaucoup d'attention... une attention extrême !... Et, tout à
coup, quelque chose d'irréellement doux
effleura ses mains qu'il tenait derrière son dos.
En fermant les yeux, il fit volte-face, et, ouvrant les paupières lentement — il savait —
il LA vit.

*

Elle portait une robe jaune, couleur paille
d'avoine ; ses cheveux et ses bas brillaient. Sa
peau semblait imprégnée d'une lumière, d'une
substance bleuâtre... Elle devait être entrée

à pas de renard, comme elle disait autrefois...
Et maintenant, il l'avait pour lui tout seul !
Il s'assit sur un siège bas, qu'elle voulut, du
mouvement, tout de suite partager. Mais il
pria qu'elle consentît à rester debout, afin de
mieux la voir, de la voir tout entière, dans sa
gloire revenue.

Elle voulait bien...

Devant lui, qui la contemplait dans un dé-
lice presque cruel, elle se tenait un peu mobile,
la tête légèrement levée quoique ses yeux
fussent fixés sur les siens, glissant des blan-
cheurs à travers le rideau baissé des paupières
et des grands cils courbes. Il l'avait saisie aux
poignets, et les mains de la jeune fille se re-
troussaient comme ceux des danseuses asiati-
ques. Il la repoussait un peu, en écartant les
bras, pour en avoir une vue plus complète.

*

— ... il a peur de moi ?... — demanda-t-elle,
en souriant très faiblement, — ... il aurait
peur ?... Peut-être qu'il a horreur de moi, je
pense...

Guy était bien trop ému pour entrer dans
le jeu. Ses mains remontèrent le long des avant-
bras fins, et, tremblantes, s'arrêtèrent aux
coudes dont l'ossature délicate lui parut tenir
du merveilleux. Puis, les mains s'attendrirent

en devinant l'ovale des bras qui glissaient sous
la soie froide, et, toujours montant, les doigts
s'emparèrent des épaules un peu maigres...

— Chérie !...

Elle ne souriait plus ; elle se penchait en
avant, comme ne pouvant plus supporter le
poids de ces bras trop chargés d'amour ni ré-
sister à l'appel magnétique qu'ils lui communiquaient... Elle s'inclinait, tendue... Lui, montait lentement vers elle, tandis qu'elle déviait.
Quand il fut debout — elle était toute petite,
dans son ombre — les bras de Guy se refermè-
rent autour des épaules. La face blanche s'approcha jusqu'à devenir une lueur opalescente
confuse... Et tout fut aboli.

*

Il la baisa sur les yeux, sur les joues, sur
les cheveux, sur son cou qui frissonnait... Il
ne pouvait finir, se décider... sur la joue, encore, comme une petite sœur, et il revenait à
cette bouche plaintive, altérée, inguérissable...

Lui, au contraire, à chaque baiser, se sentait
une puissance croissante, une assurance renou-
velée. Il regagnait les mois stériles. Toutes les
douleurs fuyaient, toutes les inquiétudes.
C'était merveilleusement plus beau, plus doux
qu'il ne l'avait encore rêvé, si enivrant qu'il
craignit enfin de perdre tout contrôle, et qu'il
s'arracha.

Il la fit asseoir sagement, et prit une chaise à côté d'elle, mais, avant qu'il n'ait pu faire un geste, elle était sur ses genoux, si souplement qu'elle fut immédiatement blottie.

Et les strictes résolutions ? Il se leva, quand même, et la remit debout, riant un peu pour cacher son trouble.

Elle rouvrit les yeux et fit la moue :

— Eh bien ?...

— Voilà, Chérie... Je ne suis qu'un sauvage, vous savez... Vous savez comme je perds la tête... Chérie !...

« Alors, il faut avoir pitié... Si ELLE ne m'aide pas, je suis perdu... Et j'ai tellement d'amour pour ELLE que je voudrais être respectueux, fervent, sans reproche...

— Oh ! oh ! — fit-elle, sans sourire.

La vérité seule !... Il se mit à genoux, prit les mains de la jeune fille, les ouvrit sur ses genoux à elle, y mit son front :

— Je veux qu'ELLE soit uniquement ma fiancée... Nous avons toute la vie pour nous, Chérie !...

Il perçut un léger tressaillement dans les mains souples ; l'une abandonna son front, tourna autour de son oreille, et vint retrouver sa place familière, dans les cheveux ardents qu'elle brouilla :

— En voilà un drôle de garçon, maintenant... N'ai-je pas toujours été sa fiancée ?...

Il releva la tête. Dans son silence, elle souriait, non sans gravité. Alors, il ressentit une gêne insupportable : la vérité, oui ! La vérité, seule... puisqu'il y avait tant d'amour. La vérité ? Fallait-il donc dire : « NON, mais aujourd'hui, je suis complètement changé, meilleur... » Et voici, qu'il sentait la blessure possible. Que dirait-il ? Parlerait-il sottement ?

Mais elle eut la délicatesse de le prévenir, peut-être par pitié, et elle lui mit sur la bouche sa petite main, avec une expression ravissante qui semblait dire : « Je demande pardon... je n'irai pas plus loin : c'est une taquinerie... »

Quand même, il haletait.

Elle devint docile. Ils s'assirent côte à côte, ayant trouvé le compromis d'une vaste bergère. Mamy se récria malgré elle en face du couple surhumain de beauté qu'ils formaient ainsi, tous les deux : lui, dans sa matité chaude, avec ses cheveux un peu roux, ses yeux magnifiques et vert sombre, semblable à quelque jeune patricien du Giorgone ; et elle, si pâle, avec ses prunelles claires, largement dilatées sous des cheveux massifs et noirs.

*

La bonne dame venait de rentrer à toute vapeur : désir de tendresse, ou volonté de sur-

veillance ? Elle était rouge et fort excitée. Elle
narrait avec enthousiasme la singulière amé-
lioration du jeune indigène. L'enfant avait
cessé de crier dès son entrée, et, au départ, il
commençait à dormir. Les parents l'auraient
embrassée ; elle s'était enfuie...

— C'est de peur, et non par humilité, —
déclara sa fille, qui fermait les yeux : — les
naturels sont trop sales... Mamy est ainsi... Elle
s'est fait construire un chapeau tout exprès :
un chapeau-fort !

En effet, telle qu'apparaissait la capeline de
la guérisseuse, le plus reconnaissant, le plus
entreprenant, n'eût pu lui molester les joues...
Elle riait, contente de les voir, si sages :

— Mes enfants, aujourd'hui, Mamy aurait
fait des miracles...

— ... ne me guérissez pas, surtout, Mamy,
— fit la jeune femme langoureuse, qui se laissait aller contre Guy.

*

Mais le miracle venait de rappeler les
perles : cette fois, le collier attendait dans le
secrétaire :

— Lui avez-vous dit la trouvaille ? — de-
manda-t-on au jeune homme.

— ... complètement oublié...

— Qu'est-ce que c'est, encore ? — ques-
tionna Chérie, en ouvrant les yeux.

— Le collier que nous avons trouvé toutes deux... — Prenez de la force, fillette ! — ce sont de vraies perles, et fabuleusement belles, même, il paraît...

— Comment !

Elle se redressait. Elle ajouta avec vivacité : « Où est-il ? »

— Le voici. Vous porterez au cou le bijou d'une reine.

Guy intervint courageusement :

— Oui, c'est presque inestimable... de sorte qu'avec cette méchante belle chose, j'ai bien moins de plaisir, moi, en pensant à ce que vous apporte...

— Je ne veux rien ! Et ceci, je ne le mettrai plus ! Jamais !

— Oh ! Chérie, voyons !...

Elle secoua sa perruque d'une manière si catégorique qu'il fut entendu qu'elle avait raison, tout à fait raison, de mépriser cet ornement-là. On l'avait à peine contredite, et cependant, elle s'assombrissait grièvement. Elle avait quitté sa pose d'immobilité heureuse, d'inertie comblée, et elle se déplaçait dans la pièce, allant d'un coin de table au bras d'un fauteuil où elle se perchait mollement, lâchement... Ils la regardaient. Elle arriva jusqu'à la fenêtre, jeta les yeux au dehors, et avec une brusquerie inattendue, pivota sur les talons et déclara : « Je ne le porterai plus... » Et elle lança le collier sur la table d'où il glissa, abandonné, sur le tapis.

Guy le releva ; ce collier lui parut un serpent prêt à mordre. Mamy et le jeune homme s'interrogèrent du regard, furtivement : la mère eut une petite crispation de lèvres qui voulait dire : « Eh bien, ce n'est pas très brillant !... » Que pouvait-il y avoir encore ?

L'instant de gêne fut très net. Guy se leva ; le moment était-il choisi ? Tant pis, il dédaignait les ruses.

— Attendez-moi, — fit-il, — je reviens; j'espère que ce que j'apporte sera moins maltraité, fille chérie ?

Elle rougit, confuse, et s'assit sans mot dire.

*

Les cadeaux de Guy étaient de vrais présents, de ceux qui ont coûté peine et sacrifice, et qui devraient avoir une influence mystique si la matière pouvait rendre l'amour qu'on y dépensa. En fait, une chose d'art restitue sa tendresse intime : il suffit de trouver pour elle des sensibilités en accord, des âmes au même diapason.

Il ouvrit l'écrin et regarda son amie. Elle eut un sursaut d'admiration spontanée, et Guy fut payé. C'était le fameux bracelet. Quelle ardeur y avait-il employée ! Quels rêves en-

clos dans ce cercle de métal et de pierreries,
qui devait, pour toujours, emprisonner l'enfant ; la réduire en doux esclavage !

Deux bandes de platine, entre lesquelles se
développait un bas-relief d'or où des centaures
étaient figurés, enlevant des femmes. Les
fabuleux quadrupèdes humains cambraient
leurs torses de métal rouge, tandis que les femmes Lapithes étaient modelées dans un or si
pâle qu'elles en paraissaient blêmissantes. La
ruée amoureuse s'agitait sur un fond, un pavement de perles très petites, qui ne comptaient
que par leur doux éclat.

Guy avait commencé son œuvre quand son
amour était dans sa vigoureuse banalité ; puis,
tandis que lui-même se sublimait par l'attente,
la douleur, le remords, il souffrit de cette
grosse joie. Les vainqueurs, en qui, peut-être,
il se représentait, restaient épiques mais animaux malgré leurs visages. Alors, rêveur, il
avait intercalé entre eux de larges bandes de
saphirs sombres qui endeuillaient le bijou, et
lui communiquaient en même temps une richesse grave. Pareil travail n'était pas à la
mode, mais cette mode glacée est si pauvre
qu'elle semble la carence de tout effort heureux. Qui l'eût jamais regrettée ? Qui aurait
pu trouver démodé le carcan magnifique ?

*

L'émerveillement de la jeune fille fut une grosse joie pour l'amant-artiste. L'année passée, elle n'aurait poussé que quelques cris de plaisir, oh ! avec les plus variées, les plus harmonieuses intonations, mais...

Le déclic joua : le poignet veiné était prisonnier. Elle eut un petit rire nerveux, mais parut contente. Cependant, quand elle dut recevoir la bague de fiançailles, elle ne put refréner un recul assez net pour surprendre... Alors, elle tendit le doigt avec un geste d'enfant qui craint d'avoir mal.

— Oh ! fille sans tête ! Eh ! c'est à la main droite qu'il fallait !

— Pas en France, — plaida Guy.

Mais, pris de scrupule de ne pas être assez de chez elle, il voulut changer : on refusa ; c'était très bien ainsi.

— Vraiment royal !... — disait Mamy.

En effet, cette si petite modification physique, ces scintillations autour d'un poignet, conféraient à la jeune fille une splendeur, une autorité étranges.

— Trop beau, — soupira-t-elle, — peut-être que j'en suis intimidée. Nous allons à table ?

*

« *Jacques Tournebroche, il est plus facile
de parler comme un gentilhomme que de manger comme lui...* » pensait Guy, et il s'admo-
nestait de voir que de la table de ses amies, il
attendait de tout à fait situer leur rang social...
Comment serait le service ? Il s'en voulut, se
demandant s'il épousait la salle à manger !...
Bien fait, la table du déjeuner était délicieuse
d'arrangement et de netteté, présentation habituelle, usuelle, due à la soubrette puisqu'elle
seule y avait présidé... Au tour du garçon de
se surveiller... Il avait les bonnes manières
françaises, mais ici fallait-il encore imiter...

Il observait leur délicat picorage. Pour plus
de sûreté, il prit les devants :

— Ayez la bonté de me prévenir si je me
trompe. Les habitudes ne sont pas toutes les
mêmes : cela m'amusera...

— C'est simple, — déclara sa jeune voisine,
— on noue d'abord sa serviette autour de son
cou, puis on fait glouglou en buvant, et enfin
on lèche la sauce sur ses doigts : voilà le secret...

Mais l'hôtesse semblait dans un grand trouble, soudain.

— Il y a un malheur, Mamy ?

— Affreux ! Dieux bons ! nous n'avons pas
dîné, hier soir.

Chérie étincela de joie. Comment ? Après
son départ, ils avaient tout simplement oublié
de dîner ?...

On fit comparaître la petite servante qui
avait beaucoup pleuré, depuis la veille. Mademoiselle était si malade, et il y avait Monsieur... Elle s'était rappelé si tard qu'elle
n'avait plus osé...

« Ah ! » pensait le Français, « les char-
mantes gens... »

VI

L E grand soleil avait tout vaincu. Guy
montra à la jeune fille cette splendeur
qui s'épanchait dans une vibration générale, bruyères chaudes, collines crépitantes :
« Alors ? »...

Elle hocha la tête : « Essayons... »

— Pas de chapeau, par ce soleil ?

Elle secoua ses cheveux qui balayèrent la
peau camélia impossible à brunir ; elle demanda :

— Il va en mettre un, lui ?

Mais la canicule de ce pays n'effrayait pas
l'athlète. Ils partirent dans les monts comme
s'ils fussent sortis dans leur jardin.

★

Aux premiers pas, ils rencontrèrent le
trouble. Elle restait silencieuse, et Guy s'agitait cruellement dans l'appréhension d'une
mise au point imminente ; inévitable. Ce matin, il comprenait que la petite fille avait fait
place à une femme ; à une femme qui venait

de trop souffrir pour se retrouver, elle aussi,
facilement et simplement heureuse.

Comment lui expliquer ? Affirmer qu'il
aimait *mieux* aujourd'hui, c'était avouer combien jadis il avait *mal* aimé. Comment faire
saisir, sans se rendre odieux, cet esprit irré-
fléchi de conquête, cette volonté presque
sportive, l'avidité masculine qui s'étaient
transformés si purement, si tendrement ?...

Dire seulement qu'il avait été léger, emporté par la griserie — il y a des mots adoucis
— et qu'il avait fallu le don d'elle-même pour
qu'il parvînt à sentir ce qu'une femme pouvait apporter d'agrandissement, de puissance
à celui qu'elle venait de combler. Mais si la
finesse redoutable de la jeune fille arrivait à
formuler qu'au début, ce don l'avait dimi-
nuée en lui ? Non, laisser sous silence tout
cela ; ne pas toucher aux plaies vives, à la lé-
sion de l'âme. Lui répéter seulement son inguérissable blessure, sa nostalgie effrénée d'elle :
dire : LE SOUVENIR VAINQUEUR...

Pourvu qu'elle voulût bien ne pas reparler
des lettres, des premières lettres, tellement
sceptiques, si cavalières... Il est vrai qu'on
pourrait encore évoquer le ton français, qui
rit pour cacher l'émoi... Assez vrai, en
somme...

Ils s'engagèrent dans le chemin qui longeait
l'eau. Il tenta de l'arrêter.

— Marchons...

Elle avançait, tête basse.

« Je lui montrerai quelle vengeance a su prendre le vrai amour, la tendresse vraie... Mais, comme elle est absorbée !... »

Il craignait une rancune déclarée, malgré sa volonté de reprendre les manières, le ton même d'autrefois. Peut-être qu'elle ne pouvait oublier... Avec angoisse, il se demandait si elle ne l'aimait pas moins, voilà tout : usée, déçue... Il devrait donc la reprendre, et il s'apercevait *qu'on ne sait pas pourquoi l'on a plu,* pour quelles réalités l'on vous aime ; ni sur quels leviers agir si l'on renonce à faire intervenir les sens. Ici, plus de sensualité : seulement l'Amour...

Cette pureté dans laquelle il voyait un rachat, avant la grande joie de l'hyménée, ce renouveau de vertu, n'était-ce pas une imprudence, pratiquement ? *Elle ne le retrouvait plus.*

— Chérie ?...

— Marchons...

Le retrait qu'elle avait marqué, au moment de la bague, lui revint à l'esprit si fortement, qu'il restait en arrière.

« Mais venez donc, Guy !

Et si elle avait voulu jouer la comédie, pour sa mère, afin qu'on les laissât tranquilles ? Peut-être, le seul moyen de lui ouvrir la mai-

son ? Mais il évoqua l'arrivée. Allons donc !
une telle émotion prouve absolument l'emprise, la force de l'attachement... Pourtant,
s'il était trop tard ! TROP TARD, ce terme, Guy
pouvait à peine le supporter dans la banalité
de la vie. Si par hasard, cette émotion n'avait
été si forte qu'en relevant du regret, de l'arrivée maintenant inutile, du « trop tard »...
Ah !

★

Ils avançaient sur une lente montée qui
tournait. Guy entendit des aboiements, pensa
à ses agresseurs du matin. C'était bien eux ;
les grands chiens noirs et blancs bondissaient.
Bâton au poing, Guy se plaça devant elle. Mais
les stupides animaux freinèrent net, et, au moment où il allait frapper, il fut surpris de les
voir faire, à la jeune fille, les plus tendres
accueils-chiens ; ils jappaient, tordaient leurs
corps de veaux... De la passion !...

Cependant, celle-ci, agitée, inquiète, voyant
un sentier qui montait droit vers les bois et
la colline, s'y jeta, entraînant le compagnon :

— Oui, chassez-les, qu'ils ne nous suivent
pas !

Guy menaça les dogues, qui, étonnés, s'arrêtèrent, coururent à d'autres attraits. Il la
suivit. Elle grimpait avec énergie, tendant ses
belle jambes striées d'ombres nettes sous le
soleil.

— Je n'en puis plus !...

Elle se laissa choir au sommet de la pente, dans une clairière. Il resta debout devant elle. Elle le regardait gravement, de ses grands yeux cristallins, écouta vers la gauche, puis le regarda encore. « Elle ressemble à une pensée », songeait-il.

Elle lui prit la main et tira dessus. Ce geste enfantin lui rendit quelque confiance, mais elle ne continuait pas. Quand il fut assis à sa droite, elle coiffa le genou de Guy de sa petite paume aux longs doigts, inertement. L'étang n'était pas visible, dans les profondeurs, mais, par delà, l'on voyait la campagne infinie, couleur de rose sèche, avec des ondes et des moirures quand le vent pétrissait la lande. Au loin, de hautes pierres grises ; puis la mer qui bleuissait.

Le paysage paraissait les surveiller.

*

— Guy, je voudrais vous parler...

O Dieu !... Il attendit.

Elle commença :

« J'ai bien réfléchi à ce qui nous est arrivé, et je voudrais vous prier de ne pas me trouver trop étrange, ni mauvaise... Il faut que vous pensiez à tout le chagrin, à toute la peine que j'ai eus, Guy... Je crois que, maintenant, vous avez la ferme intention de

m'épouser... Mais, *je suis sûre*, que, d'abord,
vous n'y pensiez pas du tout. Ne coupez pas !
J'ai tant, tant de mal à dire, déjà, et je dois
dire beaucoup de choses. Guy, vous ne devez
pas m'épouser...

Elle agita la tête, prit un temps, continua :

« Parce que vous êtes resté très longtemps
sans me revoir, vous me croyez bien mieux que
je ne suis. Je n'ai pas de chance, malheureuse-
ment : c'est vous... Alors, plus tard, vous
me retrouveriez toute pareille à celle que vous
avez jugée autrefois : une fille qui ne sait
pas grand'chose, et qui n'a pas eu... de contrôle sur soi. Vous regretteriez, Guy !

« Ne dites rien, encore ! ! Attendez ! Pour
Mamy, il faut que j'aie l'air d'accepter cela...
Quoique, la pauvre Mamy, elle ait été si malheureuse, que je suis presque certaine qu'elle
fermerait les yeux et nous laisserait... Mais ce
serait terrible pour elle. Elle ne dirait rien
mais peut-être qu'elle en mourrait... Oui, il
faut que nous trompions encore ; Guy, ah !
c'est affreux ! On est entraîné ; les choses qui
vous choquaient tant, qu'on ne croyait jamais
possibles, *avant*, on finit par les trouver naturelles... Mais quand on y pense, la nuit, tout à
coup, Seigneur, l'on se sent toute glacée...

*

Guy écoutait, saisissant plutôt le ton, la

manière, que l'enchaînement. Il était trop troublé pour percevoir les mots un par un ; leur plainte seule lui parvenait. L'elfe avait perdu sa vivacité, son enfance ; que devenait cette fille qui ne pouvait prononcer trois mots sans exclamations chantantes, sans demandes, sans répétitions. Aujourd'hui, près de lui, une femme pensive et mesurée...

Comme si elle lisait en lui, elle insista :

« J'ai eu trop de peine, Guy... Il faudra avoir pitié de moi quoi qu'il arrive. Je ne fais pas de phrases pour attendrir mais je pense que je voudrais partir, mourir, bien lentement, pour avoir le temps de vous donner ma tendresse, pour goûter la vôtre sans prévoir les choses d'après... La pauvre fille n'aurait plus à craindre tout ce qui doit venir...

Quelle langueur, quelle détresse lasse ! Comme elle semblait atteinte ! Il la voyait, tout à coup, irrémédiablement lésée. Il se leva, marcha de long en large, cherchant des paroles qui apaiseraient...

Elle avait le visage soutenu par ses deux mains en coupe et regardait l'horizon. Il la revit, si vive, jadis, dansant tout le temps sur ses hautes jambes, ne posant qu'à peine sur le sol. Et voilà qu'elle semblait clouée, enfoncée dans la terre, attirée...

Il fit un violent effort, une sorte d'effort sportif, comme au moment critique d'un

match. Il se contracta farouchement vers la
possession de soi, la direction, l'usage de soi. Il
luttait pour sa vie :

— Ma petite fille chérie, — commença-t-il,
— il est nécessaire de nous ressaisir... Nous
sommes venus de si loin l'un vers l'autre, sépa-
rés par tant de distances; réunis, par un si beau
mais si extraordinaire hasard, qu'il *est bien
normal que nous nous cherchions un peu*...
Mais maintenant, chacun a payé le tribut au
méchant sort. Vous et moi, durement, mon
cher amour... Il ne faut pas regarder en arrière. Quand le passé menace le présent, il faut
en détourner les yeux.

Elle entendait bien sans avoir l'air d'écouter, car elle répliqua :

— Mais si le passé aboie derrière nous,
comme un mauvais chien, il faut bien le regarder, pour se défendre...

— Non, courons plus loin... D'ailleurs, le
passé ne nous attaque pas. Que de bonnes
choses, dans ce passé même ?

Elle fit un geste de doute, d'hésitation. Que
c'était pénible, agaçant aussi ! Elle se dérobait
toujours. Il se contint dans un grand acte de
tendresse consciente, de foi. Il revint s'asseoir
et prit sa main dans la sienne, agitant cette
petite main comme une marotte qui ponc-
tuerait l'histoire...

— Connaît-elle, — fit-il, — l'aventure du
chasseur de Hoorne.

Autrefois, elle aimait tellement les apolo-
gues, et, à défaut de caresses, on devait reprendre le ton caressant.

Elle sourit, et, sans dégager sa main :

— Plus très bien, Guy, mais n'en profitez
pas pour rien changer à l'histoire !

Il souffrait de minimiser, mais il fallait être
prudent, et ce ton de badinage permettait
l'effleurement :

— Le chasseur, — commença-t-il, — le
sauvage chasseur, avait capturé une fée, sans
le savoir, bien sûr...

— Il ne le sut, Guy, sans doute, qu'en
voyant la fée s'envoler...

— Taisez-vous, méchante, c'est mon tour...
Il arriva que voulant prendre pour lui la fée, il
se vit au contraire, pris par elle. Il croyait la
soumettre, et ce fut lui qui fut emmené en
esclavage, en esclavage passionné, Chérie. Mais
un jour où ils se baignaient dans une source
trop belle, la fée se souvint qu'elle avait été
ondine, et elle se laissa dissoudre dans les eaux.

« Il n'en resta que le reflet, mais si suave,
si brillant, et finalement si pur, que le chasseur sauvage comprit qu'il ne pourrait plus
jamais aimer rien d'autre. Il comprit que les
forêts mouvantes, les calmes prés, les chau-
mes pleins de perdreaux, les bruyères frémis-

santes de lièvres, les soleils d'alouettes ne pou-
vaient rien pour lui ; ni pour son corps ni pour
son âme.

Guy faisait confiance à la musique des
mots, à leur pétillement, pour l'étourdir un
peu :

« Afin que l'image ne fût troublée, jamais
troublée, par le vent, égratignée par les feuilles de l'automne, il bâtit autour d'elle, au-
dessus d'elle, un gros mur de pierres. Dans la
nuit qu'il créa, l'image scintillait encore plus
et lui remplissait tout l'être. Sans plus de vouloir, Chérie, sans plus de pouvoir, il attendait,
en amour, inerte, enchanté...

— Et alors ?

— Alors, quand la fée comprit que
l'homme, au bord du reflet, s'en allait mourir, peut-être qu'elle eut pitié... Ou peut-être
qu'elle fut jalouse de son image — jalouse de
son image. Elle revint.

La jeune fille émit pensivement :

— Les fées peuvent revenir... Mais, les filles ne peuvent pas toujours...

★

C'en était fait : le jeu ne réussissait pas ; le
jeu la ramenait à la mélancolie. Il changea de
ton, serrant les deux petites mains avec force:

— Bien-aimée, bien-aimée, j'ai été fou, méchant, même; j'ai été puni plus que je ne sau-

rais le dire. J'ai passé par le feu, et tout ce
qui n'était pas bon, pur, ce qui n'était pas
vous, est brûlé. Ecoutez, Chérie, c'est affaire
de vie et de mort pour moi, littéralement :
loin de vous, je ne crois pas qu'il me soit possible de vivre...

— Vous dites cela aussi, Guy, maintenant...

— Ah ! — gémit-il, — vous ne m'aimez
plus !...

Le tendre bras glissa autour de son cou.
Une tête soyeuse tiédit son oreille :

— Jamais tant !...

— Alors, Chérie ?

Elle eut un geste découragé et reprit sa pose
rêveuse, s'immobilisant soudain, toute molle.
Guy en fut si frappé qu'il sentit les larmes
prêtes, encore! Il tenta de les refouler, mais
elles jaillirent quand même, brûlantes, corro-
sives... L'enfant bondit, le retourna dans sa
force passionnée d'autrefois; se suspendit à
lui qui s'était relevé. Elle souriait de son sourire d'extase, de ce sourire qui semblait pro-
mettre de secrètes délices surnaturelles. Elle
le couvrit de baisers, rafraîchissant de son
souffle, de ses lèvres, les pauvres traits con-
tractés et noircis.

Elle le força de s'asseoir, tandis qu'il pleurait maintenant sans pouvoir se contraindre,
en détournant seulement son visage pour ne
pas lui donner le laid, le ridicule spectacle

d'un garçon qui en vient aux larmes. Devant
lui, elle se mit à genoux, bien droite, mains
ouvertes, les paumes offertes :

— Je ne vaux pas la peine qu'on pleure
pour moi. Ne pleurez pas, non! Je suis à vous
tout entière comme... comme avant. Entièrement, — reprit-elle, d'une voix profonde.

Il tourna vers elle son visage vieilli :

— Mieux qu'avant, Chérie.

— Non ! — cria-t-elle, en secouant sa perruque : — non, comme avant...

Avec acharnement, il reprit sa volonté ma-
ladroite, sa marche difficile; il reprit :

— Vous m'êtes trop précieuse... Il faut que
je vous lie à moi; que je vous attache, pour
toujours. — Il se redressa : — cessons de pleurer et de rire, de nous tourmenter... Tout cela
n'est plus digne de nous. Demain, j'irai chercher une licence de mariage... ou du moins, les
pièces nécessaires pour nous marier, et je vous
emmènerai vite... Oh, vous emmener, demain!

                    ⋆

Elle paraissait songer, à peine avoir entendu... Mais quand elle leva les yeux, Guy
comprit, avec une terreur délicieuse, que tout
venait de changer.

Il fut enveloppé de flammes:

— Emmène-moi, emmène-moi, tout de
suite !! Sans tout cela ! J'écrirai un mot à

Mamy, d'une gare ! Tant pis ! Partons où tu
voudras, j'irai... Comme tu voudras... Commande et rappelle-toi, rappelle-toi, TOUT ! Il
y a un train, à cinq heures. Partons ! Oh, la
folie de se retrouver bien seuls, sans ces choses, ces grandes choses qui t'ont — ces mots,
— qui t'ont changé, détaché de moi, malgré
tout ce que tu dis, puisque, depuis deux heures que nous sommes seuls, bien à nous, dans
les bois, comme jadis, tu ne fais que parler !
Parler ! Tu t'occupes de sottises, et tu ne
penses plus à nos baisers. Guy, nos baisers !
Viens donc, mais, viens ! Laisse tout ! Viens
Guy, tu entends, je te tutoie comme tu le désirais, comme elles font, chez toi, les amoureu-
ses... Vite ! suis-moi ! Il y a, là-bas, notre coin
à nous, la cachette qui... Ah... qui attend !...

Il était blême; des lueurs éclataient sous ses
paupières closes. Il fit quelques pas, englobé
dans cette tourmente, aspiré, vidé de tout ce
qui n'était point le prodigieux émoi... Elle se
serrait contre lui, l'embrassant, le foulant de
son poids tiède, le tirant de ses mains redeve-
nues agiles et fortes... Elle brillait, rosie, lumineuse, fulgurante; l'assaillait de sa véhémence,
démon autour d'un possédé, d'un possédé
bien heureux...

Il se dégagea d'un mouvement d'épaules; la
regarda jusqu'au fond avec une sorte de
cruauté, et, violemment, la saisit à pleins bras.

Il eut la vision indiscutable que tout son respect n'était qu'une frime, une duperie de malade; que la chair possédait une âme indiciblement plus sûre que celle de l'esprit... Elle s'écrasait sur sa poitrine, une fois de plus, alors, bien vivante, gonflée d'une vie multiple; bien chaude, battante, ses vastes yeux parfois fermés, parfois épanouis en gerbes d'étoiles.

Dans une prise où tous ses muscles se réjouissaient de participer, où, peut-être, se retrouvaient d'antiques prouesses, des captures sexuelles, il la souleva de terre. Et puis, en face de cette étendue immense, en face de ces champs sauvages, de ces nuages gonflés, de cette mer qui bleuissait, un paganisme le saisit, un retour à l'adoration des forces naturelles : il la leva vers le ciel, au bout de ses bras raidis, il l'offrit en oblation, en holocauste. Il la montra au firmament, aux dieux tendres qui avaient aimé, à toute cette campagne pleine d'épousailles et qui attendait en bourdonnant...

Puis il la ramena contre lui, une main la soutenant sous le genou, l'autre, dans les cheveux, les doigts pénétrant jusqu'à la peau bleue. Et, entre ces deux contacts, ces deux prises, circulait en lui un courant de feu, trop doux, trop cruel, qui le faisait claquer des dents.

Il dressa la tête, huma. L'ancienne retraite était là, pas loin... Au travers des cépées, il se mit à courir, allant, allant toujours, franchissant les fossés du bois, se fouettant aux branches, se laissant déchirer par les ronces avec un début de volupté... Il l'emportait, fonçant droit devant lui. Il enlevait sa proie, sa proie succulente !

... un grand chien bondit, noir et blanc... La cabane bûcheronne, là-bas, entre les tiges et les rameaux... Un autre chien saute... Saute jusqu'à la main de l'enfant, qui tourne sa tête moribonde... Elle se tend, se tord, crie : « Arrête ! »

Elle s'arque dans son refus : « Arrête ! »

... accent si douloureux que l'homme est cloué. L'élan avait été tellement fort que la jeune fille lui échappe, et se trouve debout devant lui. Elle regarde vers la hutte, se penche... Vers la maisonnette qui brille à travers les arbres...

Le major, assis à même le sol, les bras autour des genoux, de profil, semblait dormir.

*

Dans sa frénésie, Guy ne distinguait rien encore. Il ouvrit les bras pour la reprendre. Il la saisissait, ardent, crispé. Elle tremblait. Elle joignit les mains.

— Grâce... Il y a des gens. Guy, revenez à vous...

Le « vous » fut ce qui le frappa, qui l'atteignit. La goutte d'eau froide faisant tomber l'ébullition... Qu'était-il arrivé ? Déjà, le tirant par la manche, elle l'emmenait en arrière :

« Nous ne sommes pas seuls. Venez.

Elle le ramenait, folle de douleur, de rage, d'impuissance, de peur, de honte... Le jeune homme, vaincu, avait perdu tout sens de la réalité, et comme les grands chiens revenaient, joueurs, elle, les yeux noircissants, les dents sorties, proféra :

— Les démons, les démons ! Guy, tuez-les!

Il chercha son pistolet, malaisément. Il allait tirer, ivre, halluciné, quand, obéissant à quelque insaisissable appel, les grands animaux blancs et noirs disparurent.

*

Les jeunes gens revinrent, épuisés... Partir ? Ils n'y pensaient plus. Ils retournaient vers la maison, ayant repris un peu de calme, un peu de volonté. Guy commençait d'avoir honte et sentait qu'il avait, dans un moment de folie, risqué de compromettre gravement son nouveau et bel amour. Il tremblait encore de cette secousse terrible qui l'avait bouleversé de fond en comble. Elle était à son bras, muette.

Ils rentraient le long de l'étang noir qui se

striait d'or, comme un vieux laque. La demeure
brillait, la leur, irradiée de soleil couchant,
quand, à gauche, dans l'ombre creuse et derrière la vertigineuse chaussée, l'autre maison
semblait se dissoudre. Màmy, inquiète, guet-
tait, dans le petit jardin aux ifs taillés. Elle
leur fit de grands gestes de bienvenue.

— Au moins, — souffla la jeune fille, —
Mamy, elle, se croit heureuse... Vous êtes bon,
Guy. Je ne savais pas...

— Non : simplement, je vous aime.

— J'ai honte, pour tout à l'heure, — reprit-elle.

— Moi... moi aussi, et, maintenant, j'ai
peur...

Mais, cette peur elle-même, cette angoisse
d'être si faible et si désarmé dans l'étreinte de
l'amour, comme on les accueille ! Volupté de
se sentir la gorge prise par les doigts puissants,
de se sentir courbé, ployé, sous le joug.

★

A table, Guy la contemplait, l'analysait...
O merveille ! Elle semblait détenir une lumière assez puissante, une lumière assez forte
pour la traverser toute; pour franchir ces
chairs translucides, en les brûlant aux points
les plus délicats. Le petit bouquet de points
bruns, près de la narine, paraissait l'incidence
des rayons.

O merveille !... Cependant, soumise à la des-
truction, mais si lentement, pensait-il, que la
perception qu'on en goûte se modifie et ac-
compagne l'apparence; à la sensibilité physique, s'ajoutent des sensibilités intellectuelles
bien plus actives. Pour lui, contre lui, l'éclat
de cet être se dévelouterait, se ternirait, mais
dans sa possession. Chaque stigmate représen-
terait des années, par l'amour, remplies... Il se
souvint de poèmes faits pour elle, ah, mauvais,
gauches, mais « cherchés », remaniés dans
une incessante palpation, dans un contact renouvelé :

O mon beau violon, tout usé de mes chants...

O MERVEILLE !... Dans le tombeau même,
ses ossements près des siens donneraient encore
l'idée d'une grâce, d'une grâce émouvante,
même après deux mille ans. Le savant s'arrê-
terait encore à cette longue et précieuse ligne
de ses éléments; l'artiste s'inquiéterait : l'on
dirait : « Comme elle fut jolie... » Tandis
que, de son grand corps à lui, on penserait :
« Comme il devait être fort ! »

Une vague de désir le submergea et la fin
du poème l'obséda, rocailleux, âpre, mais
comme imbibé de son mal, de sa sueur de
fièvre :

O *corail tout vivant, ô grappe oblongue, ô*
                                    [*treille,*
Que l'angoisse d'amour, en frémissant, réveille!
O *pampres entr'ouverts, ô vendange, ô nectars,*
Effuse, abonde, écrase et ta pulpe et tes fards,
Dans ces doigts palpitants de ton vin, de ta vie,
Dans ma chair qui clame et qui t'acclame,
                                    [*éblouie*[1] *!*

O *merveille...* Elle mangeait des cerises, distraitement, avec une délicatesse précise. Guy
avait l'impression de n'avoir jamais vu manger de cerises. Les êtres que nous aimons nous
renouvellent. D'abord, le fruit était habile-
ment appréhendé par des tiges de velours clair
ornées de miroirs elliptiques et rosis. Le fruit
tournait un peu, en montant. Puis, arrivé près
de la face, la bille vernissée se teintait de
reflets pâles. Elle s'arrêtait devant les lèvres,
surfaces tendres et courbes, sans doute élasti-
ques, d'une matière inconnue, dont la réunion
formait un ensemble indicible. Enfin la bille
entrait dans une douceur pourprée, réalisait
une distension satinée avec des luisances humides, un ineffable écartement qu'elle élargissait
de sa rondeur...

— Est-ce que vous allez vous endormir,
tous les deux, — demanda la douairière : —
Avez-vous brouté du romarin ?

---

1. « Toute honte bue... » (L. V. 1953.)

VII

ELLE restait au lit. La nuit avait encore été mauvaise. Guy demanda des livres, pour venir à bout du temps. On l'introduisit dans une petite bibliothèque à coins et rayonnages précis, arrangée avec ce sens de l'utilisation que ces peuples ont sans doute acquis de leurs aménagements navals. Aucune place n'est abandonnée; tout se compénètre.

En honneur, trônait une Bible énorme qui datait des reines glorieuses; reliée en basane sur des ais de bois. Les feuilles de garde portaient toute une généalogie qu'on lui montra, non sans orgueil. Après tout, ils avaient raison d'en être fiers. Ce n'est pas si agréable d'être enfant trouvé. Et cela formait une vraie noblesse. Les noms se succédaient depuis plus de trois siècles : une sorte de livre de raison.

Tout au bas, à la dernière ligne inscrite, SON nom et SA date... mais un autre nom suivait l'usuel : « Esther. Qu'elle vive dans le Seigneur et pour le Seigneur... » Guy songea que

l'amour l'avait jetée, la petite Esther, hors de
la Voie, mais que l'amour l'y ramènerait bien
vite. A cent années en arrière : « 22 may
1806, Jéhazah. Qu'elle soit toute paix !... »

— Mamy, qui était Jéhazah ?

— Une sœur de mon grand-père. Elle mou-
rut vers dix-huit ans.

La bonne dame s'assombrit.

Ce nom d'Esther charmait le jeune homme.
Il n'avait jamais songé à la qualité du prénom
juif, qui lui aurait plutôt laissé une odeur de
ghetto, des images safranées et huileuses, et
voici qu'il édifiait, sur lui, par son alliance
avec l'autre, toutes sortes de poétiques figures,
dont bénéficiaient aussi bien la reine captive
que la petite bacchante blanche, l'Israélite et
la chrétienne. La reine devenait svelte et fondante comme l'enfant, et celle-ci farouche et
grandiose ainsi que la Juive macérée dans les
parfums, prédestinée aux amours puissantes,
et en qui grondait la haine de tout un peuple :
la Juive aromatique et bilieuse, et la fille de
camélias blancs...

*

Il rôda autour des étagères et s'étonna de
l'influence des classiques français du XVIIIᵉ siècle. Tout Voltaire, tout Rousseau, traduits...
Mamy restait inquiète : on ne venait que rarement dans le petit sanctuaire, et la poudre !...

Sur un guéridon, il y avait des objets anciens
jetés comme sans art. Guy aimait passionné-
ment ces bibelots où tant de qualités humaines
— celles de ceux qui les avaient façonnés,
celles de ceux qui les avaient acquis, portés,
s'intégraient. Il les mania — car il faut les
toucher — les admira : une boîte à rouge, en
ivoire avec une gouache bleue où l'Amour ai-
guisait des flèches sur l'autel de l'hymen — s'il
ne les y épointait pas, le gueux ! L'intérieur
gardait encore, sous une glace fendue, le pin-
ceau en blaireau et les cotons rougis de fard.
Quelques raretés; un étui à ciseau du XVIe siècle, en argent niellé et découpé sur fond d'acier
bleu : des cœurs s'y enchaînaient sur une en-
clume, prêts à être rivés. Devise : IE LES UNIS.
Toujours de l'amour... Le plus étonnant,
c'était un écu de six livres, authentique, français, d'ailleurs, qui se dévissait comme une
bonbonnière extra-plate, pour livrer une miniature d'homme très jeune et séduisant.
Quelle incomparable cachette, de la tendresse
gardienne.

— Vous ne craignez pas de laisser ainsi de
si jolies choses, si tentantes ?

— Oh ! Qui voudriez-vous ?... Et puis, je
sais leur nombre : il y en a quatorze...

— Pardon, treize, Mamy.

Elle s'approcha, jeta le coup d'œil du
maître :

— C'est vrai; il manque le petit stylet de
vermeil. Mais c'est Chérie qui l'a emporté
pour couper ses revues. Depuis qu'elle vous
connaît, elle a voulu recevoir des revues
esthétiques l'*Atelier* et le *Connaisseur*...

Attendrissante fille ! l'*Atelier* ! Il fut très
vivement touché de penser que, sans espoir et
presque abandonnée, elle eût tenté de le rejoindre par l'art... Mais prendre pour y arriver l'*Atelier* !... Pour parvenir jusqu'à lui,
tellement plastique, à une brute comme lui !...
Curieux peuple et curieuses gens qui n'ont pas
à eux, bien à eux, un seul grand artiste, et
dont toute l'école n'est venue que d'un beau
Flamand un peu douteux... Mais, malgré tout,
n'aurait-elle pas tort de vouloir se perfection-
ner, donc se modifier ? Se défier du factice,
avant tout... Mais lui-même, alors, que faisait-
il ? Vers quoi tendait-il, depuis des mois. Oui,
mais lui se laissait emporter par le souverain
sans nom, par l'autre...

Son soliloque fut interrompu par une voix
chantante qui vint d'en haut : la porte était
restée ouverte :

— Ohé, ohé... Mamy ?

Ils se regardèrent avec ravissement : elle
était réveillée.

Bonne-dame courut et grimpa comme une
rate. Guy ne perdit pas un mot :

— Ah, Mamy chérie, la fille voudrait bien voir le garçon...

— Oh, ma petite enfant, alors, levez-vous !...

— J'ai essayé, Madame, mais, vraiment, j'ai trop de fatigue dans les os... Mamy, nous laisserons la porte grand'ouverte...

Mamy n'eut point à répondre : Guy était déjà en haut, et, avec une autorité que mieux valait ne point relever, il venait d'écarter la maman qui battit en retraite, aussitôt...

— Eh bien, — fit la jeune fille, — eh bien, quelle fermeté ! Malgré tout, j'aime... J'aime assez les coups d'Etat !...

*

Mais il était bien trop ému : SA chambre... Depuis tant de jours qu'il la portait en lui. Il en avait demandé un plan minutieux, avec la situation des meubles pour l'imaginer sûrement ; l'orientation, afin d'y faire glisser la lumière selon les heures. Il savait où se trouvait le lit, la place du bureau, l'armoire à glace, où, si souvent, il s'était représenté l'enfant doublé par son reflet... Deux filles aussi belles ; heureuse chambre !

Il savait la couleur du lambris, d'un ton tilleul relevé de filets bleus ; de jolies boiseries anciennes, avec trois œils-de-bœuf, un au-dessus

de la porte, deux, au-dessus des armoires d'attache.

Combien de fois son âme y avait-elle émi-
gré ? Que d'heures, que de nuits ! dans ce vo-
lume rectangle qui contenait l'extraordinaire
présence ! Il avait senti un absolu dédoublement de lui-même. Son corps, son corps
d'homme, gisait abandonné, faisceau pesant et
mou de chair inerte. Quelque chose d'indénia-
ble qui vivifiait cette enveloppe de chair, était
parti, s'était ici rendu, avait occupé tout l'espace déterminé par ces murailles, remplissait
l'alvéole comme une vapeur sombre. En se
dilatant, en se gonflant, en filtrant dans les
moindres rainures, cet élément mystérieux
avait tout occupé. Guy avait le sentiment que,
parfois, l'enfant avait dormi dans son âme.

Il connaissait, il connaissait, mais il regardait quand même, dématérialisé à nouveau, ne
se sachant plus très vivant.

— Je suis là, — fit-elle, à mi-voix.

Tous deux, conscients de leur émotion, se
réunirent par leurs tendres yeux, mais il ne
s'approcha point. C'était trop doux de laisser
cette tension s'exaspérer, ce flux qui les re-
liait. Ils croyaient entendre leurs cœurs
battre... Elle avait quitté les lainages imposés
et portait autour du cou un mouchoir de soie
rouge et vert dont la couleur et les reflets la
douaient d'une translucidité magnifique.

Ses bras étaient nus jusqu'aux épaules, sous
le foulard. Guy ne pouvait s'en détacher. Elle
les glissa doucement sous les draps, avec une
lenteur qu'on aurait dit craintive.

— Oui, Guy, regardez la chambre... Pas
moi. Moi, ce matin, je suis laide. Regardez
« ma petite boîte », comme vous disiez... J'ai
eu tant de plaisir à penser qu'un jour elle aurait pu vous plaire ! J'ai songé à vous pour
chaque objet. Presque tous me valurent de
grands combats avec Mamy : ce sont des tro-
phées !

Il était charmé : l'être qui avait groupé
ceci, harmonisé l'ensemble, était d'autant plus
raffiné que tout devait sortir de sa qualité fon-
cière, sans déformation de culture. Doux et
délicat, sans faute aucune, rien qu'avec de
vieilles choses, l'appartement restait d'une
jeunesse étrange. Un parfum très chaste de
lavande, la chère Yardley...

Il exprima son étonnement admiratif. Elle
en rosit de contentement. Est-il plus aimable
sensation, chez une femme qui fut aimée pour
sa beauté, que de voir son amant lui reconnaî-
tre aussi les grâces de l'esprit ? Guy, depuis
son retour, lui accordait une attention double, et, quand il s'extasia sur un petit arrangement de coin qui avait demandé beaucoup
de recherches, elle s'empourpra si richement
que cela troubla le jeune homme, en lui don-

nant l'impression d'une fatigue heureuse,
d'une coloration amoureusement obtenue...

*

Mais le bienheureux ne pourrait donc jamais
jouir franchement de quelque stabilité ! Son
émoi changea aussitôt de sens : les yeux clos,
allongée dans ce lit, elle lui donna une impression inquiétante. Une femme, qui, debout,
paraît ronde et large, devient étonnamment
réduite, comme aplatie, une fois qu'elle est
couchée, et dans un lit souple qui l'absorbe.
Puis, avec ces yeux fermés, Guy ne subissant
plus le halo hypnotique, pouvait l'analyser :
orbites creuses, nez amaigri ! Que de nacres
sous les paupières : « Non ! » — gémit-il.

Il avait avancé. Elle rouvrit les yeux, sourit
avec malice, sa malice de jadis, et, fronçant
exagérément les sourcils, elle montra la porte,
le corridor, où Mamy rôdait :

— Police !...

Guy haussa amicalement les épaules : fallait-il émigrer jusqu'au canapé, joli, mais dur,
et si lointain ?

— C'est cela.

— Pourquoi ne pas repasser le détroit, chérie ?

Il rit, et, délibérément, s'assit sur la courte-
pointe.

— Oh !, — fit-elle, les yeux ronds : — je

suis contente de vous voir si décidé, ce matin,
et si gai. Moi, au fond, ça ne va guère.

— Mais vous aussi, il faut... Vous devez
rire, chanter, chanter vos stupides petites
chansons délicieuses, vos chants nationaux.
Ah, je les ai tellement estropiés, tout seul.
Vous ne les eussiez jamais reconnus. Je ne suis
pas du tout musicien... Je ferais mieux de renoncer à la musique, comme deuxième art.

— Je ne suis pas gaie, parce que, vraiment,
je ne crois pas pouvoir descendre pour le déjeuner... Et cet après-midi... Triste, Guy !...

Elle ressortit précautionneusement un bras
et demanda l'aumône. Guy tendit sa belle
main que les travaux du feu et du métal avait
un peu corrodée, mais qui restait longue et
bien dessinée. Elle joua avec cette chose bizarre, comme avec un animal familier. Puis,
tout à coup, la serra contre elle.

Mamy se rappelait par une application à de
petits bruits révélateurs.

— Il faut partir, Guy. Je veux guérir vite :
que deviendrais-je si je finissais par devenir
« maigre comme un coucou » puisque vous
détestez les coucous... Vous le disiez, du moins,
naguère... Je n'ai pas dormi cette nuit... Vous
non plus. J'ai entendu — elle désigna le plafond: — Vous avez même crié... Si j'avais osé;
si... j'avais eu l'audace, — ajouta-t-elle, très
bas.

Guy pencha le front, assez bas, pour qu'elle
ne vît point son regard. Mais elle lui rendit sa
main, se haussa, et il fut entouré de ses bras
frais, et, sur sa joue, sentit s'ouvrir des pétales. Il lui rendit son baiser, comme à une
petite sœur souffrante, et dénouant l'étreinte,
la remit doucement sur ses coussins.

La couverture verte d'une revue pointait :
— Ah, voilà donc l'*Atelier,* — reprit-il,
avec badinage et en se désensorcelant, — et,
où est le poignard de vermeil ?
— Quoi ?
— Oui, le quatorzième bibelot, Madame ?
L'*Atelier* ne paraît donc plus déjà coupé ? Ou
bien, Esther veut-elle se défendre contre son
pauvre ami ?
— Ne dites pas Esther, ce n'est pas mon
nom. J'ai l'air d'une Juive, j'ai l'air jaune... Et
vous avez donc vu les choses, en bas ? Vous
auriez dû m'attendre. Songez (et fâchez-
vous !) que j'ai pensé enlever la miniature de
la pièce d'argent pour y mettre votre photographie de passeport...
— Oh !!
— La seule que j'aie... Mais j'avais prévu
votre fureur. Cela finit par sauver le petit
homme bleu... Maintenant, fuyez ! Soyez gen-
til, conquérant à fond, envers Mamy, pour
qu'elle consente à faire servir le déjeuner ici.

Puis, vous vous paierez une belle promenade
en pensant à moi. Me ramener de la première
bruyère blanche, celle à grosses clochettes...
Vous irez jusqu'aux pierres de Rynes, pour
leur dire bonjour de notre part... Dès que je
pourrai, j'y reviendrai avec vous, en pèlerinage... Je mettrai mon petit jupon de monta-
gnard... Prenez garde aux vipères...

Il sortit; elle retomba.

VIII

Les pierres de Rynes étaient deux grands
menhirs jumeaux, de ces singuliers monuments qui donnent, à ce coin de terre,
par leur nombre, par leur ampleur, un caractère tellement énigmatique et si grandiose.

Dressés au point culminant, ils en paraissaient la flèche, le beffroi préhistorique. Tous
les navires les connaissaient, les relevaient
dans leurs compas. La ligne de ciel qui aug-
mentait ou se rétrécissait entre eux, donnait
la bonne route. Ils étaient sillonnés de coups
de foudre, comme d'escarres.

A leur pied, les amants avaient connu leur
plus beau jour. Les hauts gnomons traînant
leurs ombres sur la bruyère avaient marqué
les heures fixant leurs destins. Les jeunes gens,
dans cette étendue sans limites, ces granits, ces
landes, ces îlots, trouvaient encore insuffisant
le vaste paysage, trop limité pour leur joie et
leur reconnaissance. Paysage aussi trop chan-
geant. Ils eussent désiré — après — que tout
fût infini et devînt immuable. Ah que rien ne

changeât plus de ces espaces sanctifiés !...

Dans la joie s'amplifiaient les images, comme l'onde sanguine qui les propulse et les colore, et ces deux pierres inégales évoquaient pour eux le couple dressé dans l'éternité de l'alliance, sur les sommets.

Le sublime se mêlait à leur fièvre. Parmi ceux qui ont tant aimé la terre, il en est qui se refusent aux cimetières gluants, aux bas pourrissoirs, et, pour leurs tombeaux, veulent les grands horizons : je crois que je ne me résignerai pas à me dissoudre sous mes tilleuls; j'avais rêvé pour mon cœur la lande du Goult, d'où l'on voit vingt-deux clochers, et le plus âpre de mon pays... Qui sait si des milliers de guerriers morts ne reposaient pas autour des pierres lancéolées, et le plus près possible de cette nue où ils plaçaient leur Valhalla et leurs Valkyries hennissantes. Comme les amants, ceux-là avaient peut-être élu les plus hauts points de leur sol pour y commencer de vivre.

*

Le déjeuner n'avait pas été servi dans la chambre; vraiment la jeune fille paraissait trop lasse. Sa mère, pour alléger le tête-à-tête qu'elle sentait un peu lourd, avait admis Nick à table et le chiennot s'en était montré digne. Mais quand Guy voulut l'emmener pour courir sur les collines, Nick refusa l'aventure, dé-

cidé à rester dans la chambre très aimée...
« Chien, si c'est de l'amour, bon! mais, chien,
ne serait-ce pas de la paresse ? » Des yeux men-
diants, globuleux, éperdus, un frétillement de
la queue atrophiée, une affreuse confusion :
« Flemmard, capon, otarie !... »

Ah, c'était impossible de subir ça ! Nick,
les oreilles rabattues jusqu'aux épaules, la
truffe en transe, emboîta le pas : « Mais non,
chien, c'est pour rire. Reste, veinard ».

D'en bas, Mamy :

— Surtout, cher, n'emmenez pas le colley,
il tue tous les moutons. C'est d'ailleurs un
chien de berger...

★

Guy s'en alla. Le temps splendide l'accueil-
lit avec ses rayons, ses fortes brises, ses frémis-
sements, comme s'il l'avait invité et attendu.
Guy trouvait tout naturel que le ciel, la terre
le fêtassent : qui pouvait mieux les aimer ? Il
se sentit soulevé par la poésie du monde. Se
dégager de soi agrandit.

En esprit, il compta ses os, ses muscles, ainsi
qu'on vérifie un moteur d'un coup d'œil, et,
à grands pas, sans hâte mais fortement, il
s'éleva sur les collines. Elles étaient brûlantes
et les herbes y grésillaient; les genêts cla-
quaient, gonflés, à trop forte pression. Guy se
hissait sur les échines des monts, suivait leurs
crêtes usées, ou bien dévalait leurs pentes pour

arriver au ruisseau dont l'odeur de menthe,
de romarin, prenait à la gorge. Une lampée
fraîche, menton dans le courant, les mains sur
les cailloux clairs du fond, plus froids que
l'eau elle-même. Puis, d'un bond, se ruer à
l'ascension nouvelle, joyeux de peiner, joyeux
d'avoir chaud, cherchant le risque à courir,
l'escalade à dompter : Guy, lâché !

Le paysage ne le décevait point. Il se remé-
mora, — du fond des temps — la petite photographie si souvent fouillée jusqu'aux atomes,
qui l'envahissait jadis de désirs sans espoirs,
de nostalgie médullaire... Et voici qu'il se dé-
ployait dans cet air unique, qu'il foulait ce
sol inestimable !... En vérité, c'était un prodige !

Il se sentait vivre à plein, et comme il aimait de vivre, maintenant, entre l'art et
l'amour. Une phrase de Shakespeare le hantait,
lui chantait dans la tête : qu'elle était donc intelligente et vaste, de belle venue :

Notre vie est tissée sur la même trame
que nos rêves...

Voici qu'à son tour, il tramait, sur le métier
des songes, les désirs les plus riches, les projets
les plus fous. Que des quantités de filles pareilles, en jupes brèves, avec des cheveux
noirs, lourds, des jambes de soie, allaient, venaient, portant de beaux objets ou de beaux
enfants, des bijoux uniques ou des chairs

vives, et qu'elles tissaient, tissaient, une large
tapisserie bleue...

*

Il alla jusqu'au *Chapeau des Gardes,* qui
montre, en effet, un gigantesque tricorne sur
un long cou et de mégalithiques épaules, un
tricorne de dix mètres superficiels et de cent
tonnes ! Il dénicha *l'Autel,* dans les fougères,
couché : une vaste pierre lenticulaire avec
deux cavités pour les sacrifices offerts aux
soleils anciens. Il parvint jusqu'au *Hoplite,*
menhir sourcilleux d'ombres mobiles et comme
vêtu de mailles sous les projections des aiguilles
de pin.

Tous ces témoins des vieux âges, il les avait
repérés à la ville, au-dessus du marché couvert, sur des cartes, sur des guides, sur les
livres savants, et il les retrouvait sans peine,
tels des amis de toujours. Le pays s'ouvrait
devant lui pour la plus facile hospitalité.

Ses reins, ses jambes l'entraînaient, le pous-
saient en avant ; de ses poumons, montait un
désir insatiable de brûler de l'air, la rage lui
sortait des côtes de faire craquer ses cartilages.
Il n'éprouvait point de remords de cette pleine
joie physique en évoquant sa pauvre fille, et
sa demi-nuit, et ses maux de tête ; non : il
prenait la sensation, si forte était l'adhérence
qu'il maintenait avec elle, qu'un peu de ce
sang vif qu'il renouvelait ici, viendrait jus-

qu'à l'enfant malade, remplirait ses fines veines
bleues : il l'oxygénait et l'ensoleillait à travers lui.

★

Encore deux crêtes — en avait-il fait, des
détours de chien fol! — et il vit les deux index
inégaux dans la lumière, au loin. Il s'assit
enfin, pieusement.

★

Alors, c'était donc là !... Il revivait ces incroyables heures ; il remontait le cours... Il
retrouvait l'instant, l'après-midi... Rien n'avait
changé. Les mêmes nuages, dont les amas écla-
tants donnaient, aux espaces bleus, aux outre-
mers, des profondeurs de vertige ; les mêmes
flots vautrés, blanchissants, sur les grèves, et
cette rumeur générale, comme d'une foule
enthousiaste, mais qui resterait muette dans
l'attente du prodige...

Il s'arrache de ce souvenir qui lui brûlait
les flancs. Il dévia encore une fois son amour,
son désir, sur les décors et les aspects. Il aima
tout. Il se sentit lié à chaque brin d'herbe,
d'ajonc, à chaque rameau de pin. Peut-être
avait-il été, antérieurement et lui-même ajonc
vert-de-gris ou pin rougeâtre ? Peut-être s'en
ressouvenait-il, confusément, et que cela faisait si profond leur alliance ; retrouvait-il leur
communauté oubliée, ainsi que, dans la joie,
un homme heureux se rappelle les cousinages

et les réclame ?... Il ne redoutait plus rien ;
il devenait l'ami de tout au monde, de toute
chose, qu'elle fût vivante ou de cette sereine
inertie du végétal.

Matériellement, c'était vrai : il entendit
un petit bruit sec, multiple, froisseur. Une
brune vipère passait à côté de son soulier. Elle
hésita un instant : « Mais va donc, ma pauv'
vieille ! » Le reptile contourna le brodequin,
sans hâte.

*

Cependant, il ne voulut point aller jusqu'aux pierres sacrées. Ces parages leur appar-
tenaient à tous les deux. Il eût ressenti une
sorte de veuvage triste, un présage pénible à
y revenir seul. Dans quelques jours...

Alors, il rôda, tournant, prenant le morne
par le flanc, suivant le pourtour de cette dernière et énorme tombe où se dressaient les
menhirs. Il les cerna de ses pas, d'abord lents,
puis plus vifs, puis à toute vitesse, comme les
prêtres maoris autour d'un bûcher qu'ils veulent défendre des mauvais esprits et rendre
tabou. La place de ses foulées qu'il retrouvait
fermait l'enceinte mystique, où nul ne devait
pénétrer, sauf l'Amour.

Enfin, ruisselant, gonflé dans toutes ses
fibres, la poitrine lasse et plus large, il revint
vers la maison.

Incroyable ! IL N'ÉTAIT QUE CINQ HEURES.

IX

QUAND il rentra, il comprit, au silence général, que l'âme de la demeure reposait encore. La soubrette maniait ses casseroles comme si elles eussent contenu de la cheddite. On avait arrêté, dans le vestibule, le douloureux carillon à sonnerie de gong, ce qui fit comprendre, au jeune homme, certaines variations anormales de ce garde-temps... *Edgard*, le colley, semblait lui-même avoir compris. Il n'aboyait pas, or, un colley qui n'aboie pas !... La maison entière était domptée. L'hôtesse aurait-elle de la poigne, malgré ses mines falotes ?

Si bien que Guy n'essaya même pas de monter à sa chambre. Il tenta de lire, sans succès ; un cerveau trop surexcité n'arrive pas à se soumettre aux signes graphiques. Puis, il avait toujours tellement travaillé, que, de ne rien faire, le maintenait en état de reproche sourd, de culpabilité. Œuvrer avait vraiment rempli sa vie. Faire de l'existant ordonné, avec de l'existant inordonné — en apparence du moins — animer les inerties, déposer des graines de sentiment dans les choses indifférentes, n'était-ce pas rejoindre l'animateur suprême ?

Nick arrivait sur le perron, grognotant et plein de componction. Les chiens sont d'incroyables cabotins ; Nick faisait celui qui n'a rien à se reprocher, mais... qui se reproche... Il était noir, avec un beau gilet blanc comme un vieux gentleman. Quelle tendresse dans ses yeux en billes ! Chiens, vous irez au Ciel...

Cependant, un peu ridicule quand même parce que son glorieux collier de maroquin rouge, avec sa collerette de blaireau (bull-dog français, qui *doit* tenir les oreilles : le blaireau les chatouille), son glorieux collier accusait quelque délabrement. Ne restaient guère que des poils hirsutes qui encadraient sa bonne babache, comme des arêtes...

Guy coupa les poils comiques, et l'idée lui vint de confectionner, pour le chiennot, une belle plaque d'or, avec le nouveau nom, le futur nom de sa maîtresse : « J'appartiens à Madame de... » Puis, autour, l'on repousserait de nobles attributs de fidélité pour leur idole à tous deux, n'est-ce pas, Chien ? Aimable travail, facile. Trouver de quoi découper la plaque.

Mamy rencontra Guy circulant à pas feutrés, en quête de ce qui pourrait remplacer

une cisaille, d'un ouvre-boîte de conserve,
même : le royal métal a beau être ductile, il
ne se laisse pas trancher avec des ciseaux servant à la broderie nationale. Mamy eut une
idée qui plut à Guy : que l'artiste profitât de
cette nécessité pour rendre visite au major :

— Il a travaillé beaucoup à ces choses-là,
sans succès, je le crains, ou plutôt je l'espère,
car il doit, alors, posséder plutôt trois outil-
lages qu'un seul, comme les amateurs décon-
fits. Vous verriez ses splendeurs, enfin, qu'on
dit, et vous l'intéresserez certainement, car il
est passionné de bijoux... Insistez, il est rogue,
mais bien trop de grande maison pour ne pas
être pris, à son tour, aux pièges de la politesse...

Mais, mais, cette conformiste personne
allait-elle finir par se montrer supérieure ? !
Comme l'on peut se tromper !...

*

Guy se laissa faire. Il aurait aussi le prétexte
de venir remercier pour l'avertissement de la
veille, qui avait dû coûter au misanthrope. On
pouvait conjecturer que si le major avait su
d'abord porter secours à quelqu'un de son
monde, il n'eût rien fait... S'il est normal de
sauver un croquant, la sollicitude ne devien-
drait-elle pas, dans le cas d'un égal, de l'indis-
crétion ?

*

L'étang était une immense dalle de brèche violette, triangulaire, sans une fêlure. Les feuilles, dessus, semblaient posées sur du marbre. De la chaussée, Guy vit un petit groupe réduit comme des figurines. Le major arrêté devant sa voiture, que pansait un mécanicien en cotte bleue... Guy remarqua l'allure caractéristique de la voiture : française et de haute marque. Il en fut bêtement fier et bien disposé pour l'ours. Idiot, idiot ! ! Il descendait les propylées humides ; le soleil était derrière lui, et quand le major se retourna, le jeune homme était reconnu de trop près pour que l'on pût se dérober.

Guy s'avançait avec cette grâce qu'il tenait d'une longue hérédité de gens aimables et confiants. Même si elle finit par les ravir, les Nordiques sont toujours un peu gênés par la désinvolture, la souplesse dont s'anime notre courtoisie. L'abord, d'ailleurs, fut glacial. Mamy voyait de plus en plus juste : un grizzly !

Le Français remercia pour l'acte de bon voisinage. On ne répondit point autrement que d'un geste évasif. Mais Guy avait été jadis un garçon qui savait le monde et qui en avait fréquenté du meilleur, quoique en province. Il aimait se servir de son art, de sa science.

Il se piqua au jeu. Admira la voiture neuve,
odorant encore l'usine, sans paraître se formaliser de la froideur du sire. Chevaux, automobiles, courses, quels ponts jetés entre les humains ! Rien ne rapproche plus que des goûts
partagés, si ce n'est, bien sûr, une haine commune, l'adhésif suprême, mais il y faut plus
de lenteur ; elle ne se déclare pas comme la
prestesse de l'engouement.

Il parlait bien, et même avec quelque expérience. Le chauffeur, un compatriote, ne pouvait s'empêcher d'approuver de la tête. Il
arriva même que le mécano osa prendre la
parole pour exprimer, pour expliquer... Guy
fit celui qui ne pouvant admettre pareille familiarité, tient à ne pas avoir entendu. Si,
après une telle prise de position, l'ours ne
s'adoucissait pas... Mais le maître restait frigide
et lointain. Alors, aux outils, et renoncer !

Guy n'hésita plus. Il avait à couper une
plaque d'or, pour un petit travail qu'il comptait entreprendre. Ne pourrait-on lui prêter
l'outil indispensable.

Le bizarre personnage s'anima, se dégela ;
leva le front :

— ... une plaque d'or ?

— Oui ; la plus faible cisaille suffirait :
c'est une plaque d'or natif...

— ... d'or natif ? D'or vierge ? — répéta
l'autre, avec une manière de respect.

Guy tendit le métal.

Le major s'en saisit avec une délicatesse soupçonneuse, d'autant plus frappante que ses doigts étaient monstrueux de force. Il la mit devant lui, en jour frisant, très près de sa figure, et le soleil qui se réfléchissait dans l'or lui éclairait la face par en-dessous, pénétrant jusqu'au fond de ses prunelles.

Guy nomma le joaillier pour qui il travaillait ; il signait du nom d'une vieille propriété familiale, qu'il cita.

— Comment ! s'écria le vieil homme; et il répéta ce nom.

— Mais, oui... Vous n'ignoriez pas ?... fit Guy, malgré tout sensible à la notoriété.

— Par exemple ! — reprit le major, — alors, c'est vous qui avez exécuté, composé les bijoux de la duchesse de Sutherland ? Pour son mariage ?

— Oui, Monsieur ; j'ai eu l'honneur d'aller les porter moi-même à Sa Grâce, en automne dernier...

Guy déjà connu en France, possédait une vraie célébrité à l'étranger, mais il n'y songeait guère. Méritée, la réussite, hélas, détermine l'indifférence pour elle. On ne peut même pas jouir de cela.

*

Quand cette qualité de l'homme en face de

lui eût sans doute bien pénétré l'esprit du
solitaire, il s'inclina comme devant une fata-
lité supérieure, et montra son seuil au jeune
maître. Il le précéda avec une politesse contrainte mais exacte ; ouvrit la porte, s'excu-
sant d'un signe. Une bouffée de chaleur leur
sauta au visage ; une haleine de four, de buan-
derie... Guy pensa au calorifère, et qu'il devait
s'étonner. Il s'étonna. L'autre n'eut qu'un geste
imprécis : « L'humidité... » D'ailleurs le visiteur avait remarqué combien, malgré la saison, le major était chaudement empaqueté.

Mais tout fut oublié, quand avec la non-
chalance, l'insensibilité d'un grand seigneur
habitué à vivre dans l'exquis, le vieux militaire lui livra enfin la pièce qui s'étendait
devant eux, dans la brûlante torpeur. Guy ne
connut plus qu'un étonnement émerveillé et
un très grand respect pour celui qui avait su
réunir et présenter de telles beautés.

*

Ah, trouver dans cette vallée pourrie, une
pareille, une si surprenante collection. Une
vingtaine de marbres grecs, authentiques, in-
déniables, et groupés, exhibés avec un goût
simple et fort, presque sévère. Des socles de
pierre noire. Dans le fond, une draperie de

velours bleu nocturne, descendant de la corniche en plis creux.

Les marbres n'avaient pas cette blancheur glacée et luisante des statues rafistolées qui ennuient le monde, dans les musées des capitales. Ils restaient couleur de miel et dorés comme les chairs aimées d'Apollon. La pierre dure ne se rappelait que par des scintillations micacées aux coupures, car tous étaient mutilés. La puissance de leur vie restait si forte qu'on en souffrait, de ces fractures, comme de plaies fraîches. On eût cherché le sang. Ces blessures tranchaient des genoux dont la rondeur était si drue qu'on imaginait l'activité des jambes. L'esprit réparait, reconstituait, et s'enflammait plus encore, par contraste. En majeure partie, des statues féminines.

Un sein tranché semblait révéler un acte de vengeance, un mouvement sadique, si tendus restaient son départ, sa courbe brisée, et sa tension glandulaire, tellement vigoureuse. Une tête coupée montrait, dans ses larges paupières, un étonnement infiniment languide. Si des prunelles claires, des iris chatoyants eussent rempli des cornées aussi vastes, leur regard eût réduit à l'obéissance tout être humain.

*

Au milieu de la pièce, et à la place d'honneur, un torse féminin qui eût, en effet, demandé la « tribune » des musées italiens. Guy, saisi, percuté, crut bien qu'on ne pouvait lui comparer que les plus hautes reliques grecques. Un buste énorme et clair se penchait, coupé en-dessus du genou droit, au milieu de la jambe gauche... Ah, c'était trop beau, trop ample, trop nourri ! Sans tête ni bras, ce débris arrivait à une telle perfection de forme qu'il semblait, lui, ne pas avoir souffert ; qu'il semblait être ainsi sorti des mains du sculpteur, dans le dessein de concentrer l'expression sans essayer de façonner un être complet. Laisser de côté les éléments banals de la femme, pour ne s'attaquer qu'à son secret : poitrine, ventre, cuisses...

Le ventre, d'un mouvement réduit, restreint, d'une saillie faible, presque méplate, paraissait cependant s'épanouir jusqu'à l'immensité. On perdait le sentiment de toute dimension, et l'œil suivait avec un peu de vertige le gonflement des aines qui se réunissaient si fermement. Il paraissait indéformable et dur comme un bouclier. Pour l'appuyer, les cuisses se gonflaient d'opulence charnelle ; pour le soutenir, elles se durcissaient en colonnes de cuivre.

Les épaules conservaient cette courbure un peu bossuée, ce développement dorsal adipeux qui rend si émouvantes les formes féminines

antiques. On dirait que la femme tend le cou
au fardeau, se prépare à je ne sais quelle accep-
tation sacrée, et commence d'obéir.

Mais l'on revenait toujours à la poitrine.
Là s'exaspérait le mystère, l'énigme. Peut-
être, en somme, que le secret de cette poitrine
était la chasteté, mais une chasteté inflexible.
Sans l'orgueil érigé des adolescents, sans la
lourdeur dure des passionnées, la mollesse des
surnourries, la pauvreté des mystiques, l'aigu
des primitives, la brusquerie des névropathes.
Montuosités paisibles, couronnant le torse
dans un calme, une sérénité infinie.

On y dépassait le sens de l'humain. Le
sculpteur était parvenu au type supérieur,
avec cette Aphrodite. Rien ne pouvait émou-
voir pareille poitrine, ni l'angoisse de la mort,
ni le spasme de l'amour ; nul n'aurait pu la
troubler, fût-ce même un enfant. Inadmissible que cette poitrine frémît ; inadmissible
que ce ventre engendrât. C'était l'être avant
la faute, l'être encore angélique. Tant que durerait la matière, un rêveur y aurait enclos
l'idée que des formes corporelles pouvait
naître une expression divine, mais, cette fois,
à l'image de la femme.

Et tout ceci s'établissait dans une abondance
qu'on aurait dit facile, dans une sorte de joie

répandue sur le modelé dans une lumière aisée,
libre. Guy croyait comprendre pour la première fois la magnificence dont était capable
un corps de femme, sa puissance d'idées,
comme, pour la première fois, avec celle qu'il
aimait, il avait eu la révélation de la grandeur spirituelle émanant d'une chair. Il restait pris dans une effervescence confuse et
pourtant active. Le nom qui tournait en lui,
qui l'emplissait de sa majesté, dont la sonorité
même évoque la splendeur heureuse, ce nom
lui montait aux lèvres, et brusquement il le
proféra ; à voix basse, d'abord, et comme in-
timidé ; puis à toute puissance :

— ... Phidias ! PHIDIAS !

— Oh ! — fit l'autre, immédiatement debout, bouleversé, irradiant : — vous aussi ?
Vous croyez ? Vous espérez que c'est lui ?

— Ah, j'en suis sûr, à mon émoi ! Ah,
Monsieur, j'y crois de toute mon âme ! Phidias... PHIDIAS ! — hurla-t-il en tendant les
bras vers le marbre : — Phidias, des Parques !
Phidias, du Dyonisos ! Phidias, de l'Athéna de
Dresde, de la Demeter... Phidias, l'homme qui
a su comme Dieu, plus que Dieu...

Le major gueulait aussi : PHIDIAS... PHI-
DIAS !

Et il souriait pour la première fois, une
clarté sur ses traits bourbeux. Il tapait du
pied, comme pour renfoncer toute objection

dans le pavage, et le jeune homme ne le reconnaissait plus. D'ailleurs, dans cette véhémence,
ils venaient tous deux de se transformer. Le
sire s'était oublié. Sa contrainte morose avait
cédé en présence d'un enthousiasme frère du
sien, et sans doute infiniment rare : deux sectaires forcenés, qui se rejoignaient au milieu
des païens, des indifférents, des hérésiarques...
Il agrafait Guy d'une poigne de gorille, par
le bras, tous deux braqués...

X

Ils se ressaisirent :

— Je demande votre pardon, — fit sévèrement le major.

— Je vous prie de m'excuser, — répliqua le jeune homme.

Et ils reprirent leur petite comédie mondaine. Mais combien différente ! Froideur volontaire, factice. Guy était gagné, annexé, sa conviction l'exaltait. Sympathie, admiration pour le découvreur. Qu'il en fît à sa guise ; un bonhomme pareil avait droit à des caprices. D'ailleurs si l'hôte mimait la réprobation, au fond, il pantelait, à coup sûr, comme un gosse ébloui.

Il dit, un peu suffoqué :

— J'ai aimé ces choses, jadis, par-dessus tout... Je les ai recherchées moi-même entre deux campagnes de guerre, comme si elles eussent dû me faire pardonner... Elles ne tinrent pas leur promesse.

Guy haussa les épaules : farceur magnifique, va ! Il alla d'un marbre à l'autre, tandis que le grognard avait fini par se piquer sur un haut tabouret d'atelier, comme un cormoran sur une balise. L'évidente exaltation du Français le ravissait quoi qu'il en eût et malgré son détachement de commande.

Celui-ci marchait toujours. Il s'arrêta devant deux hautes jambes presque réunies, brisées à la cuisse, et dont l'une gardait une coquille collée à sa face interne, et comme un dépôt salin entre les orteils. Guy aperçut quelque pêcheuse de Salamine, au soir de la bataille, enfonçant dans l'eau couleur d'améthyste ces jambes rondes et luisantes. Il le dit.

Le vieux ne sourit point, mais eut, se penchant sur son petit échafaud, une sorte de mouvement affectueux :

— C'est presque vrai... Je l'ai trouvée dans la rade de Métylène, en plongeant à trois mètres sous une barcasse. Durant un mois, j'ai cherché le reste du corps, vainement.

Puis, s'efforçant toujours à la sécheresse :

— *La Petite Fille aux Léopards,* de Londres, c'est bien de vous ?

— Oui, Monsieur.

— Jolie et sûre... Je pense que le torse qui surmontait ces jambes-ci devait ressembler à celui de votre *Petite Fille*. Bien grand bonheur, de pouvoir ainsi donner de la vie. J'ai eu quelque désir de cela. J'ai échoué ; — il désigna, sur une petite table un coussin de ciseleur avec un relief ébauché. — Avec de pareilles mains, je devais me contenter de frapper. Prenez ce qui vous sera utile... Haïr ? Aimer ?

Son geste balayait...

Guy intervint :

— Aimer, c'est meilleur, Monsieur, et peut-être est-ce bien moins décevant d'aimer plutôt que de s'acharner à créer. Aimer, bêtement... non ! intelligemment. Contempler, préserver... Tout ce que j'aurai tiré de mes mains à moi n'approchera pas du service, du bienfait dont vous vous êtes acquitté en réunissant ces marbres et en les léguant aux hommes.

Le quinquagénaire eut un léger haut-le-corps, puis témoigna d'un certain désarroi. Il eut un instant de réflexion pesante, les sourcils froncés. Alors, secouant la tête :

— Je ne les lèguerai pas...

Il hésita encore, et comme mû par la vergogne de mériter un éloge, cette fois immérité, après cette vérité dans laquelle tous les deux venaient de se baigner, il secoua la tête.

« J'ai pris mes dispositions pour que rien de ceci ne me survive. »

Il sabra, gauchement, un peu grotesquement, mais avec une volonté saisissante.

— Comment !! Monsieur, vous ne pouvez penser...

— Si !... — il reprit, parlant de façon en-
trecoupée, hésitant, comme ces timides que
leur voix importune, mais qui se jugent dans
l'obligation : — Je suis déjà à demi mort, et
j'ai souvent pensé qu'un homme de combat ne
pouvait pas trop vieillir. Les choses d'art ont
aussi leur vieillesse : n'être plus comprises, se
voir délaissées... Supprimer en même temps
que soi ce que l'on a chéri, comme les veuves
hindoues brûlées sur le bûcher funèbre... Oui,
hum...

Il réfléchit, emporté dans une rêverie gro-
gnon, dans quelque hantise. Ces sortes d'aveux
n'étonnaient pas Guy outre mesure. Il savait
trop par lui-même, les incoercibles besoins
d'épanchement qui empoignent parfois les so-
litaires, surtout s'ils rencontrent une sensibilité parente, dans leur thébaïde. Mais il réagit,
ne pouvant imaginer que ces chefs-d'œuvre
fussent condamnés. Il croyait flairer une
sorte de délectation morose, un mouvement
pessimiste, peut-être plus verbal que profond.
Il le laissa paraître par une moue rapide qui
ne passa pas cependant inaperçue.

Quelques secondes, le vieux, frottant l'une
contre l'autre ses mains tavelées, resta à con-
sidérer le brillant garçon épanoui. Peut-être
éprouva-t-il la nécessité de convaincre. Ou
voulut-il, après ces minutes ardentes, donner
à cette présentation sa puissance suprême, son

pathétique définitif. Il se décida ; il dit à voix
très basse :

— ... Il suffira, d'ailleurs, de SI PEU DE
MOUVEMENTS...

Gagnant le fond de la pièce avec cette lenteur un peu gauche qui le freinait :

« Ecoutez, Monsieur... — fit-il, montrant
le sol.

*

En prêtant l'oreille, on pouvait entendre un
bruit continu, un ronronnement. L'homme,
alors, souleva un coin du tapis bleu et décou-
vrit une trappe munie d'un anneau engagé :
« Prenez garde ! » et il la souleva.

Un puissant courant d'eau noire et convul-
sive apparut, emporté par une torsion qui luisait, et dont le mouvement rempli la pièce de
murmures.

« C'est le déversoir qui alimentait ici
même, autrefois, les martinets du batteur d'or.
Il rejoint la mer par des failles inconnues.

Guy regarda avec une certaine horreur ce
fragment de reptile se tordre en replis vitreux
et s'enfoncer dans l'obscur... Oui, là dedans,
la noyade était possible.

*

Comme entraîné par une explication maintenant nécessaire, le bonhomme prit une clef
à sa chaîne de montre, écarta les rideaux des

murailles et ouvrit une armoire. Des panneaux
de fer. Guy vit alors deux tiges dentées ver-
ticales, deux crémaillères qui engrenaient sur
des roues à manivelles, brillantes.

« ... ce sont les vannes, souffla l'hôte : —
si je lançais ces roues de gauche à droite, dans
trois quarts d'heure, dans une heure, vingt
minutes en hiver, l'eau franchirait le barrage.
Ce serait, pour tout ce qui est dans cette
gorge et jusqu'à la mer à quinze cents mètres,
la fin immédiate. La vallée est d'ailleurs, à
part la maison, absolument déserte. Et puis,
qu'est-ce que ça me fait ?...

Il ne put contenir une expression de triom-
phe. De cela aussi, il restait le maître, le véri-
table possesseur, car qui n'a pas le droit de
détruire n'est que l'usufruitier. Mais son bizarre éclairement ne dura pas. Il remit tout
en place avec une simplicité trop mélancolique pour cacher le plaisir d'avoir étonné. Il
semblait gêné, maintenant, comme d'une con-
fidence trop rapide, d'un manque de retenue,
inerte, dans une indécision pénible, et se frottant le cœur...

                    ★

Guy ne valait guère mieux. Lui aussi s'en
voulait de ces exagérations, de ces hystériques
engouements. D'ailleurs, il était étreint. Il
scrutait cette belle salle, ce luxe si discret, cet
homme en cheviote bourrue, couleur lièvre,

un peu désemparé, mais qui avait tant aimé
ces reliques, et qui les aimait encore plus peut-
être de pouvoir les anéantir... « en si peu de
mouvements ».

Détruire, dans une douceur huilée... Guy
imaginait la descente mortelle des tiges jau-
nies de graisse et polies. A l'étage supérieur,
au niveau de l'étang, sa fille ne pouvait souffrir d'une pareille toquade, mais le personnage
dépassait l'ordinaire... Quelle débâcle ! Aucun
espoir que le dingo exagérât : il se mouvait
dans une véridicité certaine, une vérité qui
l'entravait comme un boulet qu'on traîne. A
quelles rancœurs correspondait une pareille
animosité générale ? Que lui avait donc fait la
société ?

Guy, d'ailleurs, ne tenta pas l'ombre d'un
plaidoyer ; ni même de ramener l'aisance par
quelques paroles alertes ou confiantes : on
devait la gravité à cet aristo dépouillé, à ce
romantique certainement sincère dont la grandeur troublait le jeune homme bien plus qu'il
ne se l'avouait. En fait, il se modelait sur les
intentions du maître, et il voulait, à son tour,
donner l'impression que tout était oublié.

*

Ils parlaient métier. L'ébauche encore collée
au boulet de graveur n'était pas sans mérite,
mais d'un travail ingrat, desséché. Guy fai-

sait remarquer qu'on devait plutôt débuter
dans l'abondance de la forme, pour tendre lentement vers son affinement.

— Cette suite dans l'effort m'a toujours
manqué, — fit l'amateur; — je ne progresse
que par coups; par petits coins... et je creuse,
je creuse !...

— C'est une belle morte... — murmura
Guy.

Le vieux se pencha sur la plaque, sembla y
retrouver un attrait ancien, et, avec une cir-
conspection et une retenue évidente, un sourire un peu niais :

— Les minutes où l'être pénètre pour un
instant dans l'art, n'est-ce pas le moment qui
suit le trépas ? Immobilité, enfin, obtenue, le
corps devient, pour quelques heures, sa propre statue, et, oui, son marbre... Il n'est plus
soumis à l'ignoble. Tous, même les plus alour-
dis, reconnaissent cette courte pureté des
morts.

On ne se débarrassait pas de la mort, elle
faisait écho.

— Pas pour moi, Monsieur, — Guy secouait la tête — tout ce qui lui appartient me
répugne. J'en déteste toutes les perceptions,
même les plus indirectes, que je dépiste avec le
flair de mon antipathie : le noir, évidemment,
mais aussi toutes les lividités, les moisissures...
J'en arrive à haïr l'or de l'automne et son na-

carat, y devinant l'agonie. Je serais Japonais
que je détesterais le blanc, leur couleur de
deuil.

« Au vrai, — reprit le ciseleur, — je crois
que l'art est fait de vie concentrée. Moulerait-
on la plus belle morte dans la seconde qu'elle
vient de trépasser, que jamais l'on ne parvien-
drait à donner l'émotion que dégage votre
Aphrodite. En elle, le sculpteur a fourré tout
son amour de la vie. La pensée de la mort est
une préoccupation anormale; que dire, alors,
de son désir ? C'est une génération périmée,
une génération de crevards, de névropathes
qui a voulu présenter la mort comme la fin
suprême de l'embrassement.

— Hum, hum !... — grogna le vieux : —
dans une très grande lassitude heureuse... Enfin, oui... Peut-être...

Guy commençait d'apercevoir, derrière ce
bafouillage, des sentiments fermentés, aigris,
et l'affleurement de quelque marotte véné-
neuse. Il allait tenter de venir en aide, repris
par cette propension qu'il avait, dans son bonheur, de donner du bonheur. Il était prêt à
convaincre, mais il n'en eut pas le temps.

★

On frappa, la porte s'ouvrit. Le chauffeur
français entra, tenant *à la main* — inexplica-
ble ! — une lettre. Le major fronça le sour-

cil : « Plateau ! » — rugit-il, sans inflexion.
Mais le natif de Levallois en avait essuyé d'autres :

— Faites excuse, — dit-il avec sang-froid :
— j'en avais pas à portée, et il paraît que c'est
pressé. Pour Monsieur...

Et il tendit la lettre au compatriote. Guy
sauta dessus, terriblement inquiet. Qui pouvait
écrire, sauf. Mais non, cette longue écriture,
vieillotte : la mère ! Alors ? ?

— Voulez-vous m'autoriser, Monsieur, —
demanda-t-il.

Ce fut peut-être cette correction plus forte
que sa visible angoisse qui le classa définitivement dans l'esprit de l'adversaire.

Mon Dieu !...

« ... *est très mal, elle délire. Demandez au
major de téléphoner au médecin. Peut-être
d'aller le chercher.* »

L'autre bondit sur l'appareil, sonna, transmit, écouta, blasphéma, puis :

— ... Le docteur est sorti. Venez : la voiture !

Et avec une souplesse extraordinaire, il y
courut.

XI

LE major, d'une voix tonnante, stoppa le
chauffeur en train de remiser l'auto.
Comprenant qu'il fallait en mettre, le
mécanicien lança la voiture, et quand les deux
autres survinrent, la violente machine ron-
flait déjà à desceller les vitres...

— Dans le spider !...

Ils démarrèrent comme l'on tombe d'un
cinquième.

Guy venait de chuter au fond de l'angoisse.
Il n'était plus que prières et supplications :
« Mon Dieu, par grâce ! aidez-nous, sauvez-
nous ! Même dans mon malheur, je vous oubliais, mais, au fond, je sais, je crois... Faites
que nous trouvions le médecin ! Je vous jure
que je n'oublierai plus, plus jamais, si vous
venez à notre secours... Je changerai ! Je res-
pecterai tout ! Dieu, ô Dieu ! au secours ! ! »

Il retrouvait les appels d'enfance, avant que
de grandir ne vous en décourage, parfois si
cruellement. Il suppliait, sentant que tout ce

que lui pouvait tenter, était lettre morte, inutile.

D'ailleurs, s'il eût gardé quelque sang-froid, il aurait pu aussi prier pour la simple issue de la course, car la vitesse devenait effarante, en soi et pour la route sur laquelle on la déchaînait. Frénésie ! Guy n'aurait pu se faire entendre du conducteur, dans la furie des cylindres, la flagellation des airs ; il tournait la tête pour respirer. En quelques centaines de mètres, ils avaient atteint cette vitesse du kilomètre à la minute, celle de l'hirondelle, du cheval de course, des lévriers au paroxysme, mais que la machine pourrait aujourd'hui soutenir des heures.

Et le demi-malade de tout à l'heure, l'énervé supportait cela dans les yeux ; la face au ras du volant, scrutant la voie comme si elle eût été parsemée de bombes ! Il poussait follement la rugissante voiture, mais avec une sûreté prodigieuse, telle, que Guy, malgré sa diminution passagère, s'étonnait de voir ainsi transformé le velléitaire, l'épuisé. L'homme d'action se retrouvait en face de l'acte. Seul signe : ses dents, mordant sa lèvre inférieure.

A chaque tournant, il prenait la courbe à la corde, au centimètre, envahissant la berme quand l'examen fulgurant le montrait possible. Les virages raides s'enlevaient au frein : un coup sec, mesuré quand même ; bref dé-

chirement ! — et les roues arrières chassaient.
La voiture s'engageait dans sa direction nouvelle, sans toucher au volant.

Le village fut traversé sans ralentir. Les gens
se rejetaient en arrière, comme balayés. On les
distinguait à peine.

Le chef jura : un homme hagard brandis-
sait un disque rouge : Travaux ! Rouleau à
vapeur, macadam... La voiture diminua, diminua, prit le 15 — sensation incroyable : on
reculait. La voiture arracha doucement ses
bandages au sol gluant, Guy souffrait dans
toutes ses fibres... Le conducteur roula encore
lentement durant quelques centaines de mètres, pour nettoyer ses enveloppes ; puis, à
nouveau, la ruée secourable, le survol vibrant,
les sifflets... Ah, se servir des aciers, des explosions, des plus effrayants efforts de la matière,
de ses calculs les plus rigides, pour l'incerti-
tude de la vie. Des plus brutales pesées, pour
la vie fragile, instable !...

Ils entrèrent en ville sans presque diminuer
le train. L'agent de service s'éclipsa. Le major
était chez lui. La voiture, hennissante de frei-
nages, vira sur place, et, dans un dernier
spasme se ficha devant une maison de briques.

Le chef sauta, revint trente secondes plus
tard, remonta :

— Nous le poursuivons ; en route !

Ils reprirent la campagne. Le major rou-

lait à tombeau ouvert, s'arrêtant pour faire
le point, le point du docteur, puis, l'on repar-
tait dans la remontée du fracas. Le rattrape-
rait-on jamais, ce médecin ? Cauchemar !

Enfin Guy perçut, — après quel temps !
une exclamation triomphale : au bout, tout
au bout d'une côte, droite et longue intermi-
nablement, une petite voiture à capote mas-
tic... Au lointain, des collines couleur de fer...

Le chant des cylindres monta encore. Comp-
teur bloqué. La voiture du docteur avait l'air
de rouler en arrière, de reculer très vite. Bientôt, on vit ses micas crevés. Depuis deux ki-
lomètres la sirène du major hurlait. La voiture
de course fut côte à côte, freina, comme tuée,
se mit en travers. Le major et Guy bondirent,
le major courut à la bagnole, se nomma :

Un petit homme blond, poivre et sel, tranquille, avec d'étroites lunettes dorées. Il s'inclina au volant.

En trois mot, le chef expliqua, ordonna :
« Montez ».

— Je vais vous suivre ; je ne puis abandonner ma voiture.

Guy et le major se penchèrent avec l'envie
de frapper. Le major blasphéma encore, et :

— Flanquez-la dans le fossé, je l'achète !

Le chauffeur venait de faire virer la voiture
de course.

« Partons ! »

Ah, l'autorité de cet homme ! Le médecin avait couru, claquant sa portière. Le retour commença. Guy en lapin, les bras sur un montant. Devant un passage à niveau fermé, sensation que le major mesurait l'obstacle.

Arrivèrent enfin devant la petite maison de l'étang : « Montez vite »...

*

Mais le médicastre descendit cette fois posément. Il tirait ses gants avec lenteur. Il regardait les eaux, il regarda les collines et les deux maisons...

— Eh bien ? ?

— Impossible, Monsieur, — répondit le petit toubib : — une course pareille m'a complètement désaxé. Inutile d'insister présentement; je suis peu utilisable... Je sais ce que je vaux et comment je puis valoir.

Le chef ne broncha plus. Il attendit, bras croisés.

La maman survint. Elle raconta, volubile, gesticulante comme une Française. Le médecin n'avait pas l'air d'écouter. Toujours, cette distraction. Enfin, le praticien :

— Je vous suis...

*

Quelle épreuve de rester là quand la jeune

fille se tordait, se débattait à quelques mètres, et qu'on allait scruter son mal ! Attendre, toujours, et toujours des attentes de plus en plus douloureuses.

Guy rejoignit le major, devenu inerte :

— Est-ce que vous avez peur, vous aussi ? Celui-là, c'était un allié, un puissant allié.

— Le mal est le mal...

— Pensez-vous qu'une méningite puisse se déclarer comme ça ?

— Oui, comme ça...

Ce fut lancé comme un coup de croc, et Guy se rejeta en arrière... Si le médecin n'était pas de retour d'ici cinq minutes, il monterait.

Le docteur reparut, avec une figure plutôt rassurante, mais il ne prit pas le temps de donner des explications : « Je vais chercher des instruments... Ce n'est pas si grave, — ajouta-t-il en voyant les traits décomposés du jeune homme. — En route, Monsieur. »

*

Guy les regardait fuir et bondir, sans les voir. La hâte du médecin diminuait la bonne impression de ses paroles. Guy saisit la soubrette qui passait et qui fut toute molle dans ses poignes. Mademoiselle avait dû prendre trop de son remède habituel, celui qui calmait ses maux de tête, et cela avait amené cette

agitation et puis cette faiblesse. Le docteur
avait fait une piqûre.

La voiture revenait, remplissant le paysage
de sa rage. Le docteur monta les marches, avec
un bon sourire à Guy, sourire inappréciable.

— Vous a-t-il dit quelque chose ? — demanda Guy au major.

— Rien.

— Ce serait une sorte d'empoisonnement !...

L'autre leva le menton et regarda Guy avec
sévérité :

— Quel poison ?

— Une drogue usuelle, dont elle aurait exagéré la dose.

Le vieux considéra Guy fixement. L'étudia.

— Eh bien ?

— Excusez-moi...

Le chauffeur, réellement hors de lui-même,
s'occupait de son moteur, sacrant, plaignant,
maronnant. Une voiture toute neuve, en ro-
dage, la brusquailler à ce point-là ! « M...!
Je rentre au patelin. » La voiture tourna, se
remit en position de départ.

Guy attendit encore. Ce fut long. Il se sentait presque ressaisi par sa langueur automatique des mauvais jours. Sur le muret où il
s'était perché, jambes pendantes, il grattait de
l'ongle des petites mousses. Il se prenait à
compter les seuls bruits de cette soirée chaude,

les *flocs* liquides des truites dans l'étang. S'il levait la tête, il suivait le développement des collines sur le ciel qui se colorait.

★

— Voici, — dit le médecin qui venait sans doute d'apprendre la situation du Français dans la maison : — intoxication maintenant résolue, choc nerveux très dur, antérieur...

— Ce n'est sûrement pas une méningite ?

— Ah, — grogna le praticien, — vous êtes tous pendus à cette maladie-là ! C'est stupide !

— Alors, ce n'est rien ?

— Que Dieu me damne ! si, c'est quelque chose ! Que sais-je ! Le temps est nécessaire. Le cerveau a le choix entre bien d'autre maladies ! — Puis, il ajouta de gentille manière : — Je la connais cette petite, depuis son enfance, et je ne crois pas à une affection organique. En attendant, il faut agir et savoir.

Et Guy fut sur la sellette. Le médecin l'avait attiré sur l'arrière de la terrasse, mais les paroles portaient. Il n'avait aucune confiance dans les renseignements maternels et demanda beaucoup de détails. Guy parlait sans contrainte, sentant la sympathie du bonhomme. Plus rien à cacher ; si le major entendait, ça ne faisait qu'avancer l'annonce... Il parla des lettres interrompues ; de l'évanouissement à l'arrivée, de l'exaltation, réellement un peu extraordinaire, très triste, dont la jeune fille donnait des marques. Le docteur haussa les épaules et l'entraîna plus loin, derrière la maison. Il interrogeait avec une précision nouvelle, avec délicatesse. Guy eut la sensation qu'il s'intéressait à eux comme à des héros de roman.

Enfin le médecin déclara qu'après les remèdes matériels, les facteurs moraux devaient intervenir. L'enfant s'était affolée : que son ami prit soin de la détendre :

— Je vais partir ce soir : les trains, à quelle heure ?

Le docteur leva les bras au ciel ; il avait fait de longs séjours en France, il ne détestait pas ces agités-là :

— Malheureux, gardez-vous-en bien! Nous serions frais !... Assez de coups de théâtre ; devenez-lui fraternel, naturel. Donnez-lui l'amitié de l'amour après la passion, par le diable !

— Je vois, je vois... — Guy brillait de joie.

— Laissez-la tranquille aujourd'hui, et sans doute, demain, nous verrons. Qu'on devine seulement votre présence.

Ils revinrent à l'automobile. Le major, les yeux clos, plus jaune, plus ridé encore, impassible...

— De la glace sur la tête... Des bains, des
calmants que nous ramènerons.

Le chauffeur, les épaules en mouvement
proposa de monter de la glace. Il y en avait
en bas. Le major acquiesça. La maman voulut le remercier, il raya de la main... Départ ?

— Oui, — fit le docteur, — avec les dro-
gues, je ramènerai une nurse, une nurse à
poigne.

Le major qui n'avait pas arrêté la voiture,
embraya avec souplesse. Guy se sentit, auprès
de cet homme, en humiliante infériorité : féminin.

*

Guy tâcha de s'employer. Le chauffeur fut
au-dessus de tout éloge. Non seulement il pro-
cura de la glace, mais encore il réalisa une sorte
de casque avec de vieilles chambres à air, et
il mettait la dernière main à une veilleuse électrique chauffante. La soubrette sentait certainement croître la passion à lui vouée. Bonne-
Dame en abusait. Il avait même humanisé le
cerbère à jupon ramené par le docteur. Une
infirmière réellement redoutable ; une sorte
de femme à barbe. Mamy rendant justice aux
Français, déclara : « C'est l'impérialisme gau-
lois : nous sommes une seconde fois con-

quis !... » Elle était d'ailleurs injustement rassurée.

D'autant qu'à la nuit, le docteur reparut, cette fois, avec son petit bain de pied jaune, sa bagnole minuscule. Ce n'était point dans le programme, et troubla jusqu'au cœur la mère et l'amant. Mais tout s'apaisa. La jeune fille paraissait tranquille et cela ne devait exiger que quelques jours de repos.

Guy sortit pour accompagner le docteur et crut voir l'ombre puissante du major guettant sur la chaussée, au clair de lune ; il cria : « Ça va mieux ; bonnes nouvelles ! A demain !.. » Mais sans doute se trompait-il, car nul ne répondit.

En se couchant, Guy fit « sa » prière, dans ce sentiment de reconnaissance éperdue que donne la certitude de la présence divine, bien plus encore que l'inquiétude ; sentiment de gratitude assez puissant pour recréer le Créateur.

XII

ELLE allait certainement beaucoup mieux. Rien d'autre ne comptait. Dans la nuit, elle avait repris conscience. Guy l'avait entr'aperçue ce matin par la fente de la porte, côté charnière, car l'infirmière était sur le pied de guerre. La pauvre fille portait autour du front un gros turban de glace : elle semblait prostrée, mais il espérait qu'elle sommeillait. Il se demandait avec angoisse s'il oserait jamais reparaître devant elle... Avec quelles précautions !...

Mais la maison, sans sa mie, par exemple, devenait absolument inhabitable ! Les chambres paraissaient éternellement vides, et les meubles, en location... Bonne-Dame considérait Guy dans son affliction, comme un second malade grave et l'horripilait d'attentions ingénieuses et concentrées. Il ne pouvait plus se supporter qu'au dehors. Il vivrait sur les collines et ne rentrerait que pour la publication des bulletins de santé délivrés par l'adjudante.

S'il n'avait été retenu par la crainte d'être
appelé, d'être réclamé, il eût combiné quelque
déplacement, odieux, exaspérant, mais qui aurait été salutaire pour ce qu'il nommait sa
forme, car un instinct l'avertissait qu'il fallait
accumuler des forces, se maintenir en équilibre. Des presciences sortent du mouvement
des choses. Sortir, courir, sans joie, mais éner-
giquement.

*

Le samedi, le docteur se montra affirmatif
et parut complètement certain de son affaire.
Avait-il fait quelque prélèvement, quelque
analyse ? Guy ne voulut pas s'enquérir : il fallait savoir se contenter. Le médecin désirait
tout connaître, mais avec tant d'intérêt ! Encore un qui l'aimait, la chère fille. Le docteur
s'étonnait qu'elle n'eût pas demandé Guy...
« Mais, demain, je vous emmènerai, et elle sera
tout à fait guérie... Nécessaire, cette indis-
crétion révoltante.

— Alors, demain ?

— Oui, mais, mon gentilhomme-pirate,
qui venez nous prendre notre plus belle fille
avec des manières de rugbyman, vous lui direz
de gentilles choses, pas essentiellement intelli-
gentes. Surtout, pas de poésie ! Dieux bons,
devenez donc un fiancé d'ici !

Puis il ajoutait, avec une gravité professionnelle, qui, perçant sa jovialité, plaisait et donnait confiance :

« Je plaisante, parce que, vous-même, à vous tourmenter ainsi, vous finirez par avoir besoin de mon ministère... Imitez donc la chère maman.

Déconcertante, celle-ci. Aussi optimiste, aujourd'hui, qu'effondrée la veille. Elle qui mettait jadis une telle sollicitude à séparer les jeunes gens, elle semblait prête à boucler Guy dans la chambre blanche, et lui, il souriait de l'ancienne image qu'il s'était faite de la belle-mère : une sorcière de Macbeth, sur la lande dressée, et chargeant le vent, la foudre, d'ana-thèmes lyriques.

Le major ne donnait pas signe de vie. Sans doute se tenait-il au courant par le chauffeur, qui lui, en vérité, abusait.

★

Guy descendit à la maison du déversoir. Le Parigot, qui accueillait son pays comme un ami de vingt ans, fit la grimace :

— Le major est malade, Arsène ?...

— Ça le tient toujours là, — répondit-il en se touchant le front : — il a le ciboulot fra-gile : — Je vais toujours annoncer M. le Comte...

Pour le Français moyen, particule signifie

titre. Cela dépaysait bizarrement le pauvre
Guy... La soubrette avait parlé, et vanté, sans
doute, *leur* jeune homme. Arsène tenait à
prouver l'excellente éducation dont il était dé-
pourvu. Il revint souriant à pleines lèvres,
moins cérémonieux.

— Défiez-vous, et gare sous les échelles !
Le patron folaille, 22 !

Le major attendait entravé dans sa langueur. Il venait de se lever d'un divan qui
gardait son empreinte. Portait, en guise de
robe de chambre, une simarre de radjah chargée de broderies. Avait d'ailleurs grand air.

Sa majesté mélancolique et réticente, le feu
de ses prunelles qui s'éteignait sous des paupières lentes et carbonisées, tout cela donnait
une impression pénible. Sa courtoisie s'effor-
çait. Quand Guy eut fait part des bonnes nouvelles, il s'inclina et put émettre un lugubre :
« Réjouissons-nous !... »

*

L'auto revint de la poste et le chauffeur
parut. Ah, cette fois l'on ne pouvait lui reprocher le manque de plateau : il en avait
déniché un à deux anses, énorme, un plateau
de soirée pour rafraîchir trente personnes. Au
centre, isolée, perdue, une toute petite caisse,
un coffret, portant des papillons multico-
lores :

— Posez, — fit le major, avec soupçon.

Toute une manœuvre : débarrasser une table, abandonner les anses, trouver une autre table pour la cassette ; enfin reprendre la plate-forme. Il sortit.

— Croyez-vous, — demanda sombrement le maître, — croyez-vous que ce garçon ait voulu se moquer de moi ?

— J'en ai la conviction, — répondit l'autre en éclatant de rire.

Le maître tordit la bouche ; Guy intercéda :

« Il est tellement débrouillard ; depuis avant-hier, il nous a été d'un tel secours !...

— Débrouillard, il l'est, mais détestable, plus encore. Voulez-vous me rendre le service d'ouvrir ceci ?

La demande étonna le jeune homme. Si c'était une familiarité, le ton d'aujourd'hui, dans sa contrainte, ne l'autorisait plus. Mais on ne pouvait tenir rigueur à un tel champion. Guy marqua un léger temps de surprise, puis empoigna les outils qu'on lui désignait. Le couvercle enlevé, un moutonnement de ferluches apparut.

— Plongez... — commanda le major avec un sourire de nausée.

« Si c'est une farce, mon gros, — songeait Guy, — on te le fera sentir ! »

Il obéit :

— Ah, Monsieur !

De ses deux doigts, enfoncés parmi les rubans de bois, le ciseleur avait touché une petite épaule, une nuque, que la seule palpation lui avait suffi pour identifier...

— Bien ! — approuva l'hôte : — vous avez reconnu votre fille même sans vos yeux.

Et le géant saisissant la caissette, la fit éclater comme une noix vide. Alors, bondissante et nue, minuscule mais parfaite, jaillit la *Fillette aux Léopards*, dont ils avaient parlé l'avant-veille.

— Mais comment avez-vous pu ?

— Téléphone, express. Ici l'on est tout près de tout. Jusqu'à Port-Saïd, on est tout près.

Le major reprit gauchement :

« Si vous vouliez travailler ici, vos choses seraient le lendemain rue de la Paix... Je le prouve, ainsi. Et je voulais revoir cela... Comment dites-vous, car parfois votre langue est incomparable, pour la tendresse, surtout : *Cette drôle de petite bonne femme*... Et ces beaux léopards qui vont la manger.

— Jamais de la vie, Monsieur ; ils sont apprivoisés ; elle les a conquis.

— Le léopard ne s'apprivoise pas. Ils mangeront la petite bonne femme, et ce sera très bien, ainsi.

Sa mollesse, son exténuation l'abandonnaient un peu. Il soulevait le groupe... L'ar-

tiste qui somnolait en lui finissait par se ra-
nimer :

— Comme elle saute bien, — émit-il, pour
lui-même, à mi-voix, — ses petits seins sont
solides, mais elle saute si bien qu'ils ont fait
« hop », et qu'ils ne sont pas encore tout à
fait redescendus. La poitrine court encore...

Guy, charmé quoiqu'il en eût, haussa un
peu les épaules.

— Mais, monsieur, ce n'est qu'une fantai-
sie sans portée ; de la statuette ; du bibelotage
de ciseleur. Les ciseleurs ont tendance à voir
restreint.

— Restriction très ravissante, — répliqua
sombrement l'amateur.

Il reprit :

« Je veux la faire tirer en argent. Deux tirages, un pour vous aussi. J'aurai plaisir à la
faire briller sous la peau de chamois. Qu'elle
est droite et solide ! Les épaules sont maigres,
à cause de la jeunesse. Et pour la jeunesse,
aussi, les jambes sont grosses : le contraire.

— Oui, monsieur : je la désirais un peu
pataude.

— Oh, *pataode !*... C'est cela, ainsi que les
jeunes chiens, la petite fille. Mais les bras sont
minces ; c'est une *dame,* fille de *dame ;* elle
n'a pas travaillé, et si ses jambes sont dures,
c'est qu'elle sort souvent dans le parc, comme
il convient. Oh, son petit dos... Il est rond

comme un... — et il cita un terme inconnu au
ciseleur.

— Qu'est-ce ? — demanda Guy.

— Un gâteau aux confitures, que l'on
roule...

Mais, le vieux reprenait de la vigueur,
comme remonté par ce nouveau joujou :

« Celui qui la mangera, c'est le léopard de
gauche, qui ne veut pas la regarder encore,
car, ham ! il la croquerait comme une datte !

— Mais je ne veux absolument pas, — répliqua le Français, — laissez-la donc vivre !
Voyez comme, au fond, vous appréciez les
choses vivantes. Laissez-la continuer à gam-
bader.

Le monomane hocha la tête :

— Oui, parfois, je reviens, ainsi. Dans tout
homme qui aime les objets, peut renaître un
enfant... Un bel objet est un jouet !

Puis, il retourna au divan, s'y laissa plier,
et lamentable, les mains entre les genoux, il
considérait le petit groupe... Guy regretta
d'avoir ramené son hôte à ses idées sombres. Il
lui proposa de travailler à son relief. L'autre
s'informa : pourrait-il regarder ? Bien sûr :
Guy qui avait suivi les ateliers communs, aurait œuvré sur un refuge des grands boule-
vards sans perdre sa virtuosité. Il acquiesça et
s'approcha de l'établi. Mais il devait d'abord,
et bassement, émoudre ces burins si mal

affûtés. Seulement, au dixième va-et-vient sur la pierre à l'huile, il était en nage :

Il avoua, vaincu : dans cette température, il n'arriverait pas... Le major, consultant son thermomètre :

— Pourtant... rien que 23 degrés. Dehors, fait-il 18 ? Je suis au centigrade; Fahrenheit ? Jamais assez chaud... — il eut encore, un de ces regards découragés d'une étonnante expression, et, enfin, avec héroïsme : — Je vais ouvrir, mais vous permettez que je me couvre.

Il revint drapé dans une houppelande gris souris :

— C'est mongol, — déclara-t-il, dans un sentiment de plénitude confortable, — et tout doublé de gerboise. Léger et calorique.

*

Cependant, avec la robe, une odeur étrange s'était immiscée, odeur douceâtre que Guy avait déjà repérée, qu'il avait cherché à identifier. Il huma discrètement : c'est aussi désagréable de chercher une odeur qu'un mot qui vous fuit. Il avait été vu :

— Mais oui, — convint l'autre indifféremment : — la drogue...

— Vous fumez l'opium ? — réprouva le benjamin, gentiment et sottement scandalisé.

Le vétéran ne répondit que par le quatrain connu :

La force du faible,
Le courage du craintif,
L'espoir du désespéré.
La santé du moribond.

« Il est complet, parfait », pensa Guy repris de gaieté, « unique, dans ses peaux de gerboise ! »

XIII

E N haut de l'escalier, Guy reconnut la voiture du docteur. Il accourait, quand
celui-ci, qui était descendu et causait
avec la garde, lui fit signe de se modérer, le
tranquillisant du geste. Ils se rejoignirent :

— Tout me paraît bien aller. Je ne suis
venu que pour m'excuser de ne pouvoir assis-
ter à l'entrevue de demain. Elle aura lieu
quand même. Je dois accoucher une primi-
pare, et, dans ce sacré pays, les femmes sont
si peu donnantes qu'elles retiennent jusqu'à la
fin...

Ils marchèrent de long en large :

— Vous savez que ce fou de major m'a
adressé ce matin son garagiste avec une liste
de voitures à mon choix ! Je les ai envoyés
promener, bien entendu... Mais quel original !
Je ne puis, sans mortification, admettre qu'il
ait attribué mon obéissance à son marché...
J'ai cédé à l'angoisse visible, la vôtre, la sienne,
et, ne le nions pas, à ce fichu ascendant, dont,

après tant de générations libres, nous demeurons entachés. Ah, si les grands avaient voulu être aimés...

Mais, s'approchant soudainement de Guy, il le renifla :

« Eh, mon cher garçon, si vous en venez là, agité comme vous êtes...

— Quoi ?

— Opium ! Vous aussi...

Guy se disculpa. Il ajouta que le maître de la maison d'en bas lui semblait, par contre, à point pour les médicastres...

— J'aimerais mieux soigner une panthère, — se regimba le docteur, — c'est un de ces demi-déments cinquantenaires qui nous encombrent, rançon d'un empire qui a trop demandé à ses jeunes hommes. Retirez-leur leurs qualités d'origine, leur argent ; placez-les hors d'une certaine inertie qu'autorise leur situation sociale, alors, il faudrait les boucler...

— Celui-ci, — protesta le Français, — possède des réserves de forces encore intactes ; et quels réflexes ! Rappelez-vous la promenade en voiture...

— La promenade !... Il appelle ça une promenade ! Je m'en souviendrai, *de la promenade,* jusqu'à ma dernière heure ! La nurse a failli s'en trouver mal, et elle ne donnerait rien de descendre dans une de nos mines en feu. Non, le personnage est un homme fini,

dangereux ; ses pairs ne le reçoivent plus. Moi,
je ne sais trop rien, l'armée est discrète, mais
je... Enfin, ce n'est pas un compagnon pour
vous, ni pour *personne*. Pour personne ! vous
m'entendez ?

— Un artiste extraordinaire...

— Phtt ! Tous, dans sa famille collec-
tionnaient : on hérite de cela comme de l'ar-
thritisme. Et puis, en soi, un artiste est le
dévergondé essentiel... Je ne dis point cela
pour vous, et d'ailleurs, personnellement, je
préfère la compagnie des artistes à toute autre : le médecin voit tant d'horreurs... Mais
pas ce genre-là ! Le voici tapi dans son trou,
n'en sortant que pour en jaillir dans une vitesse d'agression... J'espère qu'un soir, à quarante milles à l'heure, il rencontrera son destin
— ou sa délivrance — avec une bonne grosse
charrette de pins qui tiendra sa droite au lieu
de sa gauche. *Requiescat !*

Le docteur se baissa et ramassa quelque
chose qu'il considéra avec étonnement : une
bouteille moyenne, trapue. Il regarda la maison d'où on avait dû la jeter. Elle était tombée
intacte sur l'herbe...

— C'est vous qui avez lancé l'objet? — demanda-t-il.

— Non, qu'est-ce ?

— ... rien du tout. Seulement la route n'est
pas faite pour y semer de la pharmacie.

— Mais encore ? Docteur...

Le toubib mit la fiole dans sa poche et coupa :

— Mon cher garçon, voyez-vous, il faut se méfier de l'*osmose des idées,* de leur contagion... On se croit bien étanche, capable de se préserver de l'infiltration moléculaire... Ah là ! le milieu vous pénètre, vous envahit... L'idée, surtout la mauvaise, est osmotique, absolument. Défions-nous des lugubres et des maniaques, même pour en rire.

Il semblait différent et paraissait écarter des pensées désagréables. Guy jugea qu'il cherchait peut-être un adieu et le devança :

— En tout cas, Docteur, je ne puis, à mon regret, vous offrir, moi, des automobiles, mais je vous garde une reconnaissance émue... Puisque vous supportez encore les artistes, vous autoriserez l'un d'eux à vous encombrer de ses travaux...

— Vous êtes un splendide garçon. Mais vous n'avez pas tort de vouloir vous en aller d'ici. Le pays est trop âpre, trop cruel... Pour ces femmes, c'est une gageure, de tenir dans cette bicoque familiale. Ah, la maison de famille, que de crimes, en son nom !

« Après tout, la contrée n'est qu'un immense cimetière, qu'il soit désaffecté depuis deux mille ans, ça ne change rien à sa destination. Tous ces monuments, celtiques ou non,

ne sont jamais que des stèles funéraires, pas
autre chose, et, rien que pour le district, on
en numérote soixante-six, et importants !
Pour quelles armées de morts, car chacun n'a-
vait pas son petit caillou personnel...

La figure blonde du docteur, barbet gri-
sonnant, se touna vers le couchant et s'illu-
mina de tendresse :

« Et pourtant, qu'il est beau, quand
même, le meurtrier ! »

★

Au-dessus de la colline s'ouvrait une gloire
de nuages rouge et or. La colline se silhouet-
tait, et, à sa crête courbe, les témoins mégalithiques figuraient le fil ébréché d'une hache.
Plus à droite, et vers la maison d'en bas, la
combe s'enfuyait jusqu'au lointain tournant,
en violâtres, en indigos mousseux, en bleus
vaporisés. Là, le soleil oblique attaquait un
morne et incendiait son camail de bruyères
pourpres. Les bruyères rutilaient de braises,
de tisons... Plus haut, la mer, barre violette, et,
encore plus haut, le ciel jaune strontiane.

Un frais subtil rôdait, venu de l'humide, et
tout était si plastique, si parlant aux yeux,
que l'imagination donnait au froid vagabond
l'aspect de courants lents et clairs...

On n'entendait rien autre qu'une petite

note entêtée de tailleurs de pierre, lointaine...
oh, si lointaine!... Un pic cristallin, dans le
soir. Au centre de cette vastitude, il semblait
que rien ne put être que lointain, et, dans
cette limpidité, que limpide : un tintement
firmamental...

*

— Et dire, — reprit le médecin de campagne, — qu'à cette heure, tous les ateliers de
votre ville déversent leurs panerées de jolies
filles, de filles joyeuses sur les trottoirs — tous
les trottins sur les trottoirs ! — et que les bu-
reaux essaiment leurs gars ! Quels damnés fous
nous sommes d'être ici pour une vie si courte!
Vous, on ne peut vous donner tort, car l'en-
jeu vaut la partie. Mais nous les vieux, les
vieillissants!... Pour votre fille, faites attention... Maniez-là, bien sûr, mais avec précaution... Capable d'aller trop loin, au bout de ses
nerfs. Tendances un peu morbides, pauvre ra-
vissant petit singe!... Je ne sais trop... Attendez-moi quand même, pour faire votre rentrée
de triomphateur. Puis, dans un an, annoncez-
nous un premier-né de huit livres, bon poids...
Nous sommes des bêtes, mon cher garçon, les
tristes bêtes du sixième jour...

Il s'arrêta se balançant sur ses courtes jambes :

« Regardez-moi ça, — reprit-il, — et savez-vous le nom de cette gentille petite montagne, en face ?

— Oui.

— Eh bien, c'est moins folichon que le Mont-Parnasse de vos ébats...

Guy remonta le cœur serré. En passant devant la chambre close, il siffla trois notes qui leur servaient de signal. Rien ne répondit, et il se sentit tout à fait misérable.

XIV

Un dimanche protestant. Guy, sacrilège, travaille. Le major se penche. Le vétéran est encore plus amaigri, plus fripé, mais retrouve la parole. Oh, sans babillage, ses mots semblent comptés, pesés, mais Guy, les outils en mains, n'y attache que bien peu d'importance : bruit de fond...

— Cette figure, — déclara le ciseleur, — est malgré tout osseuse. Ne voulez-vous pas que je lui rende un peu de rondeur, en la diminuant ?

— Non, j'aime assez l'os. J'aime, comme dit votre Rimbaud, « l'élégance infinie de l'humaine armature... »

— Pas Rimbaud, — rectifia distraitement Guy : — Beaudelaire...

— Oh, c'est vrai ! — Le major rougit mais Guy ne le vit pas; — rien n'est plus gauche que de se tromper en citant ; et même c'est l'élégance « sans nom »... Pourtant, j'ai aimé,

j'ai su, votre Baudelaire. Puis-je raconter une
histoire ?...

— Je l'écoute...

— ... On s'était battu tout un jour, et dans
une vilain coin. Les gens n'imaginent jamais
qu'on puisse se battre des heures de suite. Ils
ne voient pas plus loin que les matches de
boxe. Je n'avais pas donné ma part. On se
battit comme fox-terriers et blaireaux.
J'étais blessé, sous les blaireaux et quelques
fox-terriers... Alors, j'ai entendu, dans mes
oreilles, dedans, votre Baudelaire :

> . . . . *un homme qu'on oublie*
> *Au bord d'un lac de sang, sous un grand tas*
>   [*de morts*
> *Et qui meurt sans bouger, dans d'immenses*
>   [*efforts.*

« Sans bouger... Ah, Monsieur !... Mais Baudelaire n'a jamais tué, n'est-ce pas ? Peut-
être a-t-il empoisonné quelque dame envahissante, collante, qui le gênait. Pas même ?
D'ailleurs, seule cette arme que vous appelez
blanche reste de bon combat. Quand elle rougit, l'homme a vaincu. Est-il toujours à la
mode ?

— Baudelaire? Plus que jamais... On veut
oublier son côté sinistre ou diabolique, con-
cession à son époque; et encore, fut-il parmi

les plus sincères. Cependant, il est probable
qu'il chérissait seulement, dans la cruauté,
quelque chose comme une belle couleur (j'en
serais un peu moins sûr pour toi, vieux pan-
dour). Les enfants aiment à s'arrêter derrière
les bocaux rouges des pharmaciens.

— Mais, — répliqua l'autre avec une vivacité un peu surprenante, — jadis, ces bocaux
étaient colorés avec le sang des saignées. Le
sang est le plus fort des colorants. Il jaillit en
fusées, en écharpes. On dirait un animal qui
veut s'enfuir ! Une seule goutte suffit pour
teindre une coupe.

— Oui, oui... En fait, ce qu'on apprécie ce
sont plutôt les poèmes au souvenir passionné,
les tendresses. Le macabre est défunt.

Le vétéran hocha la tête.

*

Il reprit :
— Le macabre meurt dans l'art parce
qu'on ne croit plus à la vie éternelle. Un roman où il y a de la mort donnée comme le
suicide lui-même, devient de seconde classe,
je crois.

— Oui. C'est mélodramatique : mélo ?
plus mort que le cadavre.

— Cependant, croyez-vous qu'on puisse
enlever le « mélo » de l'histoire des êtres ? Si

toutes les volontés de meurtre aboutissaient,
quels « mélos ! »...

— Quels mélis-mélos, même! (Mon vieux,
je ne marche pas!) Le roman français délaisse
aujourd'hui l'exploitation du meurtre, sauf
les policiers, mais nos journaux se rattrapent.
On pourrait imprimer leur première page en
rouge.

— Ils sont dans le vrai. La grande affaire
de l'homme...

Le vétéran se leva, puis revint au divan :

« Lit-on encore « Housmans ? »

« Ça doit être Huysmans », pensa Guy.
(Ce l'était) :

— Il a vieilli. Son esthétique, son goût est
bien artificiel. On relit encore *Là-Bas*...

Le major triompha subitement :

— Oui, à cause de l'histoire de Gilles !

— De Gilles de Rais, la Barbe-Bleue ?

— Oh non, — répliqua l'hôte avec sévérité :
— Barbe-Bleue n'était qu'un mauvais petit
souverain de la Moindre-Bretagne, près de
Brest. Gilles fut un grand artiste et seigneur,
qui fut gâté. Il avait commencé à aimer les
choses rien que pour elles; puis il aima les êtres
rien que pour eux, comme des choses, non pour
leurs âmes, et c'est vite épuisé. Il perdit l'é-
motion. Ça c'est le plus terrible... Alors il
voulut la retrouver dans la mort donnée.

Quand ces marbres m'ennuient, je pense qu'ils périront et, aussitôt, je les chéris encore.

Guy sourit en travaillant. Le toubib avait-il si tort ?

« ... Oui, Gilles... — le major pensait tout haut : — Gilles massacra — et il chercha le terme : — Gilles massacra avec *délicatesse*... Que ce mot est caressant ! Plus rien de Gilles ne reste. J'ai cherché dans son pays... Un médecin de Machecoul m'a vendu un collier, un garrot de fer, mais je devais avoir bu... Quand je passais dans une ferme, car j'allais à pied, que je voyais une femme gratter des pommes de terre avec une lame brillante et usée, je pensais : « En ces mains, est peut-être un des couteaux de Gilles ! »... Songez aux lames et à leur besogne ! Aux lames qui ont satisfait effroyablement un homme. A celles qui ont changé toute une époque. Un garçon décidé, vif, et voilà une nation qui se modifie... Quelle grande chose! Vos journaux ont raison : pour un homme vrai, les paliers sur quoi tourne la vie, c'est engendrer et tuer... J'aurais aimé à préserver toutes ces grandes lames... Les retirer des mains qui épluchent les pommes de terre... J'ai fait leur chasse, sportivement.

*

Guy abandonna son travail pour suivre des yeux la promenade qui entraînait son

hôte. Dans sa houppelande, le sire s'en allait
à grands pas de genoux, repoussant l'étoffe et
ses gerboises. Il ne devait plus penser au travail, dominé par son vice, par une force qui
lui était plus naturelle que de s'appliquer ;
d'un ordre, malgré tout, un peu inquiétant. Le
vieux sabre-tout reparaissait-il enfin ? Ou
quelque pauvre sadique fripé, un universi-
taire ranci ? La culpabilité d'Oxford va très
loin...

— Et ces choses réunies sont dans cette
maison, Monsieur ?

— ... Oui, — répond-il d'une bien modeste petite voix.

— Et, elles avoisinent ces beautés, ces calmes beautés ?

— Oui... Elles sont parentes... J'ai déjà dit;
tous les grands artistes ont été des cruels : Al-
cibiade, Néron, Gilles.

— Me ferez-vous un jour l'honneur de me
les montrer ?

— Je ne crois pas : vous êtes un géniteur,
et vous le serez toujours.

*

Mais Guy le « tenait », le comprit tout à
coup, s'en amusa; que n'oserait-on pas, un
dimanche huguenot? Et puis, en même temps,
il se réjouit d'acquitter un peu sa dette, même
en entretenant une passion ridicule.

— Pourtant, — fit-il, taquin, — je pourrais ajouter à votre collection assassine, si collection il y a. Une pièce importante, peut-être réellement authentique, qui, d'ailleurs, me gêne bien. Je n'ai pas voulu la vendre, ni la détruire, comme d'autres bagatelles familiales: je veux n'être le fils de personne...

— Idiot. On a tous ses pères dans les ossements.

— Nous sommes d'une honorable petite famille, un peu besogneuse dans tous les temps. Un de nos ancêtres servit dans la garde particulière du dernier Valois, dans ses bravi...

— Un des quarante-cinq ? — s'écria le vétéran.

Guy fut surpris d'une pareille érudition chez un étranger. Il allait en voir bien d'autres; il acquiesça :

— En effet; or, nous gardons dans nos archives un couteau dont l'origine... légendaire, mais assez terrible...

— Et le couteau, — proféra le major, — il est avec une virole et un manche de poirier noir, grand; un couteau à découper, aujourd'hui, pour la cuisine...

— Oui. Mais comment ?... vous...

— C'est le couteau de Frère Clément !

— Enfin, on l'assure. Mon aïeul l'aurait arraché au moine. On le conserve dans une boîte de cuir, d'époque.

Le major était hors de lui, déjà, et Guy entendit cette leçon inattendue :

— Je sais, je sais! La chose la plus singulière, le couteau avec lequel Frère Clément coupa sa viande et son pain, quand La Guesle, le procureur général, le fit surveiller par un trou de mortaise... La Guesle, car, songez que ce fut lui, le procureur, qui *amena le moine au Roi*... Il avait rencontré le moine près d'une des portes, comme il se rendait lui-même à Saint-Cloud. Et le moine lui demanda de monter sur son cheval, avec lui, car il avait des choses, des secrets, pour le roi. *Le procureur prit l'assassin en croupe*, Monsieur, vous entendez! Le moine le serrait à bras-le-corps. La Guesle le fit surveiller toute la nuit, et le fit coucher dans une chambre avec d'autres. Et le moine dormit bien. Et le procureur l'introduisit, et « pan ! » dans le ventre du roi, sur sa chaise percée... Il me faut ce couteau. Je vous l'achèterai ! Je vous l'échangerai... Voulez-vous un des marbres? Voulez-vous?...

— Allons, allons donc, Monsieur, vous raillez. Où pourrait-il être mieux qu'ici? A mon prochain voyage, je me ferai un plaisir...

— Si on allait le chercher tout de suite ? C'est tout près, je vous dis !...

Guy secoua la tête, mais l'homme ardent, en lui, était loin de dédaigner cette fièvre, ce spasme de désir. Il les connaissait trop bien.

Le major se ressaisit un instant. Puis le flot l'emporta, encore :

— Nulle part, — fit-il, — il ne pourrait être mieux. Je n'ai jamais mieux réussi que dans cette présentation des armes !

Dernier retour de vergogne : « Aujourd'hui, c'est pour l'art que je... que je m'efforce. Peut-être suis-je délivré, mais... »

Et cependant, avec quelle solennité attira-t-il le jeune maître vers une petite porte, au fond de la pièce :

— La chambre du Précieux Sang...

Guy s'inclina avec le plus parfait naturel, comme si on lui eût annoncé la Chambre Verte ou la Chambre aux Oiseaux.

Avant d'ouvrir, le cicérone se retourna vers les statues :

— Ceci aurait été le Cycle de la Vie, et le cabinet, avec l'annexe, le Cycle de la Mort... Il aurait fallu les relier par le Cycle de l'Amour, mais j'avais plus de place... et peut-être, plus de croyance... Cependant, cette salle de l'Amour aurait pu être bien réduite, car peut-on diriger l'Amour hors de la vie ? Platon, le Christ, Dante, Pétrarque, Mme de La Fayette, Hoffmann et le marquis de Sade. Mais n'attendons plus. Au fait, je suis content de vous montrer... Ici entrera le poignard du moine.

Le dimanche calviniste s'égayait.

XV

Guy fut introduit dans une petite pièce rouge donnant sur la colline, et qui aurait été sombre dans son écarlate, éclairée par une seule fenêtre lancéolée, étroite, garnie de losanges à plombs. Mais le major toucha un commutateur qui fit magnifiquement valoir les couleurs, sans éblouir.

Le cabinet était exactement cubique, aussi haut que large et sans doute entresolé, tendu entièrement de beau damas cardinalice qui recouvrait même son plafond. On se trouvait ainsi dans un écrin aux proportions humaines, une boîte sanguine. Les murs étaient garnis sur trois côtés, d'étagères de faible saillie, recouvertes de la même soie. Le quatrième côté, celui de la fenêtre, appuyait un vaste divan rouge.

Sur les gradins, il y avait des choses assez plates, car les bandes de damas qui les couvraient restaient sans grand relief. La seule note de ton différent, l'attrait visuel, l'escar-

boucle de cette puissante unité écarlate était
une statuette de saint Sébastien, faisant juste
pendant à la fenêtre : « Le Bacchus douloureux du christianisme », en albâtre, troué par
des flèches d'ébène empennées d'argent. Haut
d'un pied et demi, il imposait une destination
tragique à la cellule. Sans mélodrame, cependant, à cause de la sobriété et de la richesse.

Assez craintivement (le ridicule), le vétéran se tourna vers Guy; son expression admi-
rative dut le rassurer.

— Je viens là le plus souvent, — fit-il, —
je préfère...

Et, avec des gestes déférents, il souleva une
longue bande de soie. Une hache, une forte et
large doloire, se mit à luire comme une demi-
lune pâle, mercurielle. Une date, « 1669 »
s'inscrivait sur une étiquette dorée, date qui
ne disait rien au visiteur. Mais, à côté, on
voyait une grande pièce ou médaille d'or, et
le jeune homme y reconnut le profil un peu
long, la royale, les boucles roulées, enfin les
traits calmes et comme insolents si souvent
peints par Van Dyck : Charles Ier, le décapité
du Palais-Blanc.

— Mon Dieu!

Le cicérone mit le doigt sur ses lèvres.

Il alla un peu plus loin, négligeant les choses... Sous une autre couverture, un simple couteau, presque semblable, lui aussi, à un hon-

nête ustensile de cuisine, mais long, rouillé et
sale : « 1610, 14 May »... Et devant, un por-
trait d'homme hirsute qui tenait le même cou-
telas, une petite xylographie, une gravure sur
bois du temps dans un cadre noir. Guy lut
dans l'ovale des lettres qui déterminait le mé-
daillon : « François de Ravaillac »...

Il se redressa :

— Par exemple ! Mais ce couteau n'est
pas le vrai... Je croyais que le duc de Lesparre
conservait l'original... Son aïeul, le maréchal,
était à côté du roi, rue de la Ferronnerie
quand Henri IV fut frappé, et l'arracha de la
blessure.

Le major secoua la tête :

— Il conservait : j'ai fait changer...
Echanger.

Il avança encore :

« Toujours, de votre pays : « 15 janvier
1757 ».

Guy fit un signe d'incompétence, mais
l'animateur souleva un damas plus bossué, et
un bizarre petit groupe apparut, en terre de
Lorraine, vernissé, couleur de beurre frais.
Quatre chevaux en croix de Saint-André, re-
bondis, échevelés, tiraient aux quatre membres un homme nu. Au-dessus, une petite lame
de trois pouces dans un manche réduit :

— Je vois, — fit Guy, — Damiens...

— Oui, mais c'est pour la collection. Une collection n'est pas forcément composée de pièces hors de pair. L'attentat contre Louis XV n'était qu'histoire de faire parler. Cependant, j'ai confié la lame du canif à l'un de vos grands chimistes, qui ne serait pas sûr de ne pas y avoir retrouvé un venin, un venin redoutable.

Dans un reliquaire de cristal, parmi deux lis d'émail, une boucle blonde, vivante encore, aurait-on dit, et un instrument terrible, de quoi désarticuler un bœuf :

« On pourrait faire une étude sur les divers couteaux de boucherie qui furent utilisés pour abattre les puissants. Celui-ci vint du Palais-Royal, cependant, qui garda longtemps la renommée de l'excellente coutellerie. Comme Nogent, chez vous, Tolède, chez les Espagnols, Sheffield chez nous. Celui-ci fut chouettement manié par une Normande, une fille de chez vous, et qui fit rude justice... Pourquoi refuser le vote à vos femmes? Elles vous sauvent toujours... Vous devriez plutôt le refuser à vos instituteurs; voyez Ravaillac... Je garde ainsi en vénération l'arme de votre seconde Jeanne d'Arc, vierge aussi : Mlle de Corday d'Armont. Vous rendez-vous compte du prestige que ces morceaux de fer ont acquis? Sortons, j'achèverai un jour, mais il fait trop beau. Le soleil empêche de croire à la mort. Ce sont pourtant les jours de soleil que les cimetières sont les plus tristes.

★

Il revint cependant du côté du divan et désigna du doigt trois sagaies africaines.

— Qu'elles sont belles ! — fit-il, profondément, — elles semblent voler toujours, fendre, percer. Ce sont de merveilleux poissons des airs; et parfaites, balistiquement; leur grand poids leur permet d'emmagasiner de la force; elles passent, animées d'une propulsion invisible, ce dépôt mystérieux qu'on communique, dont on nantit l'objet, qui semble si naturel, et qui, à l'examen, pose de tels problèmes. Mais qu'elles sont cruelles, n'est-ce pas ? Plus que des glaives !

Au-dessus : « Ullundi, 1879 ».

Dessous, trois biscuits de Sèvres, en médaillons. Dans le premier, la face césarienne du Corse; le second, les bajoues, la moustache cirée et l'air inachevé du neveu. Pour le troisième, un profil charmant de jeunesse avec une bouche de femme.

— La dynastie, — présenta le major, sourdement, — mais ce que vous ignorez, c'est que les officiers de la Garde de la Reine, quand ils surent de quelle façon le prince impérial avait péri, allèrent de nuit voiler d'un crêpe la sta-

tue du Duc-de-Fer. Wellington, pour combattre le grand-oncle, avait des manières
plus dignes des Britanniques. Mon père en
était.

« J'ai acheté les trois sagaies. L'une d'elles,
sûrement, fut l'artisane de cette grande honte
dont les meilleurs citoyens de ce pays se sen-
tirent tristement solidaires.

Ils allaient sortir.

— Et l'autre pièce, les autres choses, l'annexe, — insista Guy, nettement excité.

— C'est du même ordre, — répondit le
major, — mais je n'ai pas encore présenté, ter-
miné. Peut-être aurai-je besoin de vous. Peut-
être aussi, renoncerai-je ? A quoi bon ? D'ailleurs, n'est-ce pas assez pour un jour ? Je finis
par craindre... Non je ne crains rien !

— N'interrompons pas... Allons.

— Je me suis fait, tous ces jours-ci, un reproche sévère de ma familiarité, — reprit le
vétéran; — un reproche aussi d'avoir éprouvé
le besoin, le désir de les montrer, ces choses.
Mais votre mérite, votre spécialité, votre
science, — oh Phidias, Phidias ! l'Aphrodite a,
par vous, renouvelé sa puissance... me font
juger que tout cela vous était dû. Nul autre,
nul ne le verra. Je diminuerais leur valeur secrète, leur emprise, leur autorité, car, qui jamais m'apporterait les certitudes que vous

m'avez données. Je suis las ! Reposons-nous
quelques minutes. Non. Venez.

Il ouvrit brusquement la porte-guichet, la
porte basse, pesa sur un commutateur, et deux
vasques de mille bougies firent le soleil.

. . . .

Un flamboiement ! Un brasier qui fulgure,
à travers des glaces miroitantes! Un entassement qui donne l'impression d'un monstrueux
pillage, de palais, de cathédrales, d'abbayes...
Une barbarie de métaux précieux, d'émail,
de pierres, de bijoux et de gemmes, pris à
toutes les religions et à tous les royaumes, vo-
lés à tous les temps. Des phiales, des calices,
des ciboires, des ostensoirs, des couronnes,
des cratères, des urnes, des bassins glauques,
des verreries argentines, des sardoines grandes
comme des cuves; des onyx servant de ven-
tres à des aigles d'argent; des marcassites noires, au creux desquelles buvaient des satyres
d'or; des nefs de lapis-lazuli qui avaient pour
nochers des boucs d'ébène; des hanaps cornus
cerclés de vermeil et de cordes rouges pour-
rissantes; des verres immenses, frangés d'azur
comme des méduses, et de rose; d'autres si-
nueux et ventousés comme des poulpes, avec
des pieds tout piguelés d'ambre ; des rafraî-
chissoirs boursouflés et béants... Une cuvette
de porcelaine à la reine, sur un cercle d'or

rouge, un grand bac de cristal de roche luisant comme un météore ; il était traversé d'une bande d'émail jaune, comme d'un zodiaque, et, dans un pétillement de jacinthes, au centre, chatoyaient des étoiles. Une pierre brute portée par un socle de jade, crucifiée de grenats sang-dragon, des navettes en aventurines où se gonflaient de beaux enfants nus; des bouteilles en faïence de Chiraz, où des œillets se penchaient pour embaumer et mourir; des coupes rosées comme le matin, et d'autres vertes comme les eaux vives; un creuset de craquelé de la Chine, dans un réseau de soie rouge.

*

Le major, silencieux, levait les mains contre sa bouche, comme s'il éprouvait toujours la stupéfaction de ces fastueuses merveilles. Guy se sentait gagné encore une fois par la fièvre de son hôte. L'entassement de ces richesses, de toutes ces splendeurs, agissait par son fabuleux, par son saugrenu, par son thésaural. Cela emportait l'imagination en la secouant, en la brassant, en la vannant !

Les puissants qui avaient commandé ces choses, les ouvriers passionnés, qui, année sur année, les avaient réalisées de tout leur cœur, de leur habileté surtendue, arrivaient encore, après des siècles, à faire revivre leurs désirs et

leurs volontés, leur jouissance... Cela touchait
aux plus opulentes ambitions humaines, celles
qui ne peuvent séparer la beauté de la richesse, le travail de l'homme auquel s'ajoute
ce que la terre produit de plus rare. L'artiste
véhément qui vivait en Guy subissait une
réelle hypnose des matières sublimes, des couleurs et de leurs feux, des assemblages qui réunissant ce qui paraissait inconciliable, les ru-
desses de l'exécution ou sa délicatesse infinie...
Matériaux barbares et pierreries.

Tout cela l'attaquait en pleine âme... Et,
qu'en plus, ces choses sans prix fussent grou-
pées ici, sans pareilles, dans ce vallon déserti-
que, et qu'elles se vissent, alors condamnées...
Ah, comme il saisissait fortement, à cette minute, la volonté de ce prospecteur sauvage,
d'énoncer, de rappeler leur condamnation !
Quelle pitié, quelle tendresse, débordantes !
Quelles puissances de regret ! Horreur, déso-
lation magnifiques : elles allaient périr, après
avoir traversé les ruines, les invasions, les massacres, après avoir échappé aux brutes féro-
ces, elles devaient périr et plus coupablement
d'ailleurs, sous l'implacabilité d'un amateur
d'exquis, qui, en les tuant, les vénérait encore!
Toutes diverses qu'elles fussent, folie grandiose! elles étaient destinées à périr; n'avaient
peut-être été réunies que pour cette dispari-
tion; elles rentreraient dans le néant de l'in-

forme, elles, formées de toute l'attention
éprise, de toute la force des cœurs...

Il empoigna l'épaule du meurtrier :

— Pourquoi, Monsieur... Jamais, Monsieur !

— Pourquoi ?

— Pourquoi tout cela ? Pourquoi ! Parlez
donc !

XVI

ALORS le funèbre collectionneur avança
les deux mains comme un prêtre qui
va faire oblation, et il parla avec une
emphase insoupçonnable, une autorité jamais
atteinte, lui qui semblait haïr les paroles :

— Monsieur... Les agonies les plus illustres,
les plus importantes et les plus efficaces, celles
qui ont secoué les imaginations, ranimé les espoirs et fait germer les convoitises ; celles que
les hommes se racontent en pleurant de rage,
de chagrin, ou en poussant des cris de joie et
de délivrance; celles qu'on étudie après des
siècles, et qui, banalisées, retrouvent tous les
vingt ans une audience nouvelle; qui jettent
sur leur époque comme une tenture san-
glante; qui s'impriment comme un sceau de
chair morte sur un millésime... eh bien, ÉCOU-
TEZ ! Ces agonies ont marqué les choses que
vous voyez là. Il ne s'agit plus de lames pauvres, de lames nues, d'exécutrices célèbres

mais humbles... ICI, ce sont... ICI, nous nageons
dans l'orgueil et la somptuosité! Les grands
trépas ont timbré ces richesses, de sorte que
leur valeur, leur puissance, LEURS AMES, s'en
augmentent jusqu'à l'infini du sentiment, par
tout ce qu'elles ont vu, connu, supporté...

« Quand passe un pauvre hère, insignifiant,
mais qui a, pour lui, de rester le témoin d'une
grande action, comme il se charge d'importance! Avec ce caractère, le plus mesquin des
matériaux en devient le plus émouvant, et
nous trouble... Alors, quand tout ce qui plaît
à l'humain, tout ce pour quoi il lutte, se sacri-
fie, risque de mourir, meurt même, a été em-
ployé et mis superbement en œuvre, et que la
splendeur apporte sa claironnante déclaration,
alors, quelle force en jaillit! Quelle tempête
de sensibilité, quel cyclone d'admiration et
d'horreur ! Leur voix atteint jusqu'aux moel-
les... MOI, j'entends dans ces merveilles, les
cris, les râles, les plaintes royales; je vois les
derniers sacrements apportés par les légats et
servis par des archevêques; j'écoute les souf-
fles qui n'en finissent plus, quand le glas sonne
à toutes les églises d'un royaume, et que mon-
tent les prières sollicitées des peuples, ou leurs
vivats de libération ! L'attente bourdonnante
des courtisans : « Messieurs, le Roi est mort :
Vive le Roi ! » Ou la grande stupeur d'un
prince qui a été obéi et qui n'en croit pas ses

yeux de voir son ennemi, encore plus grand
mort que vivant... Moi, j'entends, mêlée à ces
opulences, à ces travaux sans évaluation, la
musique tonnante qui amplifie les plus riches
passions, les rend plus grandes que le fait, que
le réel, plus fortes qu'elles-mêmes, et hors de
toute proportion physique... C'est ici, l'imagination, L'IMAGINATION, maîtresse infinie du
Monde. Elle a tout sacré de son Chrême.

« Ah, le sang, qui roule mal sur les damas
brochés, qui s'accroche aux orfrois grenus, qui
file sur l'émail, et, sur l'or, fait boule... Le
sang qui met partout, immédiatement, une
majesté telle que les plus fiers en pâlissent, il
n'y en a plus une goutte, ICI, mais tout lui a
appartenu.

*

Il alla vers les objets.
— Ceci a reçu le sang de la Reine, de votre
reine. Madame de Tourzel et Cléry avait obtenu de Sanson, du bourreau... Là, le gobelet
de vermeil qu'on apporta au duc de Berry, le
24 mars, à l'Opéra de la rue Lepelletier. Le duc
Decazes l'avait donné à sa maîtresse. Berry est
mort en y buvant. Ses dents ont mordu là. La
carafe de roche ? Le chevalier de Lorraine
l'emplit de poison, dans le fameux placard
contigu; elle porte le monogramme de Ver-
sailles. Le drageoir du beau duc balafré, Henri

de Guise, le presque-roi: « Messieurs, qui en
veut ? Allons donc, on n'oserait jamais ! »...
On osa. Il ne l'avait plus sur lui, l'ayant laissé
sur la table, mais quand il fut tout du long,
près du rideau, un page, qui avait volé la bonbonnière, y mit un de ses doigts coupés... Je
vous parle de la France, mais j'ai cherché partout, dans tous les coins...

« Voici le ciboire de l'évêque de Stock-
holm... Ah, quel saint ! Il offrit son salut éter-
nel pour celui des autres. Il empoisonnait ses
hosties pour que les communiants s'en allas-
sent tout droit et tout de suite en Paradis, par
un poison très rapide... Quelle cuve et quelle
profondeur ! Ce calice, mais il pouvait faire,
d'un coup, trois cents élus ! Et sa beauté,
dites ?... Ces nielles grises sur un fond d'or si
pâle... Des brumes autour d'un soleil qui
s'épuise...

« Ce bassin de la Renaissance, avec ses godrons d'argent dont Ghirlandajo a peut-être
ciselé les pétales, et qui porte, comme anses,
ces taureaux cabrés, les taureaux Borgia ! Le
pape !... C'est là que s'étant trompé de cuve,
le pape plongea son verre dans le bassin pré-
paré pour tuer les cardinaux choisis, qui devaient mourir ce soir-là, durant la collation,
près de sa vigne... Comme ils rirent quand,
raide, déjà, et vomissant, Alexandre VI fit la
culbute entre les tabourets... Voici la *paix* des

rois de Portugal qu'on leur apportait à baiser quand avait sonné l'heure: Don Jayme cracha dessus.

« Alors que Pierre le Cruel et Henri de Transtamarre se battaient à mort, un moine recueillit le double sang royal, celui du cadavre et le sang du blessé, dans ce cristal andalou, fumeux... Mais le sang des deux frères, rien ne put le mélanger; ils furent comme de l'eau et de l'huile... Cette énorme boîte d'or, elle a contenu le cœur énorme de votre gigantesque François d'Angoulême, le premier duc de Valois... Quand, après deux heures, on ouvrit le gros corps, le cœur restait tout chaud.

Le major montra un ostensoir mâchuré et disjoint, qui luisait encore, rayonnait, mutilé .

« J'ai acheté ceci d'une vieille duègne espagnole qui vendait chaque nuit sa nièce aux étrangers, mais gardait cet ostensoir dans un secrétaire qu'elle rabattait pour prier devant. Il démolit des Français, au deuxième siège, à Saragosse, en février 1809. La duègne priait, à genoux sur le carreau, pour les hommes que l'ustensile avait frappés, mais surtout priait-elle, la féale, pour le dominicain rouge, noir et blanc, qui cogna, manches retroussées sur des bras comme des cuisses, et qui tuait, sacrilège, mais patriote, à coups de Bon Dieu !

« Voici des calices innombrables... Vous

êtes catholique; en pensant aux catholiques,
j'ai acheté ces vases sacramentels... C'est là que
pour vous, un martyr meurt cent mille fois
par jour, tous les jours...

★

C'en était trop ! Guy, brusquement, lâcha;
sentit qu'il n'en pouvait plus; qu'une pareille
pacotille sinistre, servie par cette véhémence,
le suffoquait, l'écœurait... Il cherchait la porte,
voulant s'enfuir, plaquant l'artiste saugrenu,
le lyrique maboul, l'intoxiqué... Il se heurta
à une longue stèle garnie d'ivoire. Seule, au
milieu de la pièce, elle portait un simple vase,
modeste, gris argent, avec quelques gravures
à demi-effacées.

Le major se retourna:

— Prenez garde ! Ne le touchez pas ! Ne le
touchez pas !

Guy venait d'élever machinalement la main,
que l'autre rabattit avec brutalité :

« Mais prenez garde !... Tout le reste n'est
rien, ici... Il n'y a que cette... que CELA ! N'y
touchez pas, ou bien à genoux et les mains
garnies de lin... — Ici, fut la PRÉSENCE
RÉELLE, la seule !... Ah, voyez comme il est
simple, et voici que, pendant des siècles, et des
siècles, il hanta les esprits, il fendit les cœurs,
ineffablement... De Murcie en Norvège, de

Cornouailles en Syrie, tous partirent à sa recherche, les plus hauts, les plus fiers, les plus
purs !...

« Joë d'Arimathie le prit dans ses tremblantes mains quand s'en alla, sous le ciel
noir, le centurion qui venait d'accomplir les
Paroles... Cette coupe reçut... et du SANG et
de l'EAU ! Elle devint le diamant des trésors
de Byzance; les basiléis s'agenouillèrent, le visage voilé, devant son tabernacle... on l'entoura de coffres épais comme des murailles; et
il partit quand même, mystiquement... Pour
rendre au monde le sens de la quête, de la
route et du pèlerinage; l'émoi des chemins in-
connus; la détresse des solitudes, et le noir
éblouissement des déceptions sacrées... Il apparut, disparut; il flottait dans les milliers
d'âmes en chemin vers sa croisade, et les soleils couchants, dans les crépuscules, semblaient des hosties d'or au bord de sa coupe
qui s'élargissait immensément, au seuil de la
nuit... Et, à MOI !... A moi tout seul ! A moi
qui saurais le faire périr... A moi, pour MOI,
uniquement... Ah !...

Et l'homme, oubliant le respect qu'il venait
de proclamer, avait saisi la coupe, l'élevait au-
dessus de sa tête, dans sa robe de fumée, ses
yeux jetant des flammes, au centre de ces
lueurs insoutenables, il criait :

— C'est LE GRAAL !... Entendez-vous : LE
GRAAL !!

. . . .

La démence ne faisait plus de doute, grima-
çante, hurlante, Guy s'en trouva désaoulé du
coup. Il mit ses mains sur son front, pendant
quelques secondes, tandis que l'énergumène
piétinait et haletait. Puis, quand il les rouvrit,
ses beaux yeux jeunes, redevenus pensifs et
calmes, posèrent leur clarté, leur lumière, sur
les autres prunelles, les prunelles exorbitées...
s'y attardèrent...

L'autre le perçut à travers sa frénésie; cela
parvint à franchir le rideau de vapeurs ardentes qui tournoyaient sous son crâne; il
éprouva sans doute cette clémence comme
une injure, comme un pitié condescendante.
Il serra le grand gobelet sur sa poitrine; il répondit, déchaîné, par l'insulte : « Allez-vous-
en ! Partez ! Fichez le camp ! Laissez-moi,
laissez-nous ! Retournez à vos travaux d'insecte ! A vos amours, de populace ! Abîmez-
la; près d'elle, économe, judicieux, compta-
ble... Abîmez la magnifique... Tuez-la plus
sûrement qu'en lui perçant le cœur... Mais
foutez le camp ! Rendez-la comme vous, sage,
SAGE, S A G E ! courbée, pliée, vaincue. Je vous
expulse ! Ne reparaissez jamais... Oust !

. . . .

Impossible d'abandonner ce malheureux, ainsi :

— Vous ne me chasserez pas, — répliqua le jeune homme avec douceur : — Monsieur, je ne vous quitterai pas dans l'état où vous êtes... Vous souffrez, et moi, je vous admire, plus encore que je vous plains. JE VOUS ADMIRE, et VOUS RESPECTE, et, si vous permettez, je crois que je vous aimerais...

— Vous ! Vous m'aimeriez ?... Vous ?

Le grand gobelet, des bras détendus, glissa et roula à terre, comme une cloche. Guy le releva pieusement : comment ne pas croire ? Il le replaça; puis, toujours avec lenteur, avec précaution, avec déférence, il prit le bras du vétéran et entraîna l'infortuné vers la porte...

« Vous m'aimeriez, vous ?...

★

Guy sentait que l'homme appuyé contre lui était tout près de choir. Il percevait un vacillement, un déplacement spasmodique d'équilibre. En rentrant dans la pièce aux antiques, dont la fenêtre était restée ouverte et où un peu de fraîcheur, avec le soir, s'était glissée, le major gémit.

— Je vais fermer, Monsieur. Venez, jusqu'au divan; je vous couvrirai.

Il le soutint jusque là. Le vétéran ne voulut

d'abord que s'asseoir, luttant encore, pour
l'honneur. Il était cassé en deux, la tête basse.
Puis, il se laissa dévier au long du matelas.

« Le ressort est brisé, — songeait Guy : —
c'est effrayant une telle masse, un tel géant,
inerte... Il ne doit pas être en danger, cependant; c'est une déficience nerveuse... »

Il lui voulut prendre le pouls, mais l'autre
secoua la tête. Guy entassa sur lui les couvertures qui traînaient un peu partout : « On
dirait un homme qui sort d'une crise d'épilep-
sie... Il lui faudrait un remontant quelcon-
que. »

Il chercha, vainement. Le major intervint,
à mots entrecoupés :

— Je voudrais... fumer... Il y a trois jours,
que... que j'ai cessé... Fumer !

Pauvre diable : il avait fait effort... Guy
dut lui-même préparer la drogue. La prostration du vieil homme était trop forte pour lui
permettre d'agir. Guy avait lu assez de mauvais romans coloniaux pour arriver tant bien
que mal à lui faire griller ses boulettes; il le
vit aspirer les cinq premières avec une avidité
déconcertante. Guy dominait sa répulsion. O
pureté, vaillance, énergie !... et surtout, ô
SIMPLICITÉ !...

XVII

COMME Guy remontait, il vit Arsène descendre l'escalier en bondissant. Le chauffeur devait avoir des nouvelles. Guy l'arrêta.

Oui, tout allait bien. Mademoiselle avait bu et mangé, et sans la nurse, elle se serait levée, peut-être...

Par contre, Guy prévint le chauffeur que son maître paraissait fort souffrant, qu'il pouvait avoir besoin de secours...

— Ah, ah ! — fit l'autre, soupçonneux...

— Une sorte de crise... Est-ce que ça lui arrive souvent ?

— Des fois... Il devient comme une chiffe, à rester trois jours sur le côté, sans boire ni manger, rien que tirer sur sa pipette et son poison. Pour moi, c'est un homme qui tombe du haut mal... et qui le sait, et qui en garde la frousse, tout le temps...

— Ah bien, aujourd'hui, il est tellement

abattu qu'il serait peut-être sage de le veiller, cette nuit.

— Il ne faut même pas y penser, Monsieur. Nous ne couchons plus à la maison, moi et le cuisinier. Les deux valets ont été renvoyés l'année passée. Il n'y a que des femmes de ménage, dans une maison tellement grande, et avec tous les bibelots. On perche dans la petite chapelle. Si l'on s'attarde, il vous flanque à la porte, et c'est lui qui boucle tout, qui reste seul avec ses chiens.

— Alors, — répliqua Guy, — je viendrai moi-même ce soir.

— Monsieur, ne faites pas ça !! — Arsène quittait son éternelle gouaille — quand il est dans ses lunes, un mauvais coup serait vite parti. Les armes traînent, et il faut le voir s'en servir. Tout affaibli qu'il paraisse, le coup de feu lui sort des mains comme d'un nuage...

Arsène reprit :

« Où qu'il est tombé ? Dans la grande salle ? Non ? Dans les lingues ou dans les potiches ?

— Dans les potiches, — fit Guy en souriant malgré tout son souci.

— Mince de casse! — murmura le Parigot, sombrement: — Vous a tout fait voir, alors... Vous pouvez vous dire le charculot, M'sieur Guy !

*

Le chauffeur courut après lui, et, avec hésitation :

— Il vous a dit pour moi, pour le couteau ?

— Quoi ?

— C'est une blague ! — il haussa les épaules; — pensez-vous que j'aurais fait ça à Monsieur le Duc, qu'est homme de bien ! et pas
fier! J'ai bien pris le couteau que le patron me
donnait pour mettre à la place, mais le sien,
au patron, après l'avoir trempé trois jours dans
l'esprit de sel et bien égrisé à la meule émeri,
je le lui ai rapporté. Il n'y a vu que du feu.
J'étais chauffeur chez le duc... J'suis entré ici
parce qu'l'autre me doublait... Quant à la bagnole, on peut revenir à l'usine : pas un coup
de clef à donner. Mais il est déplaisant à servir : c't'un bourreau de voitures.

*

En revenant vers la maison d'en haut, Guy
songeait qu'il pouvait bien être possible que
tout le bric-à-brac cruel, macabre, fût de
cette espèce-là. Ce grand artiste malade avait
été facile à berner, entraîné par sa sensibilité,
son imagination, en effet. Le rôle infâme et
superbe du revendeur, du marchand, ne serait-il pas de créer une âme à l'objet qu'il fal-

sifie ? Après tout, qu'importe l'attribution,
l'origine, l'histoire, si l'objet irradie quand
même son pouvoir nouveau et personnel ?
L'objet disparaîtrait derrière son auréole ?
Pour n'être pas trompé, faudrait-il ne faire
état que de la beauté intrinsèque, comme le
collectionneur l'avait réussi seulement pour
les marbres antiques ? Et encore, en face
d'eux, restait-on entièrement dégagé de leur
âge, de leur noble origine ? N'étaient-ils pas
comme les descendants d'une famille illustre
à qui leur généalogie confère un prestige in-
dépendant de leur valeur ? Rien que d'avoir
traversé les siècles... Le passé intervenait pour
la statue ; même pour l'instrument...

Et pour les êtres ? La main de Jéhazah,
morte à dix-huit ans, ne rendait-elle pas la
paume de sa nièce plus délicate, plus fragile,
plus *précieuse à l'esprit* ? Et les actes, aussi,
derrière nous, ne pouvaient-ils devenir les éléments ineffaçables de notre sensibilité ? Capa-
bles de modifier pour toujours les rapports entre ceux-mêmes qui s'aimaient ? Les actes de
beauté, d'exalter encore. Les actes de vilenie,
d'écarter.

Rien ne serait donc, en soi ? Rien n'existe-
rait hors de ce que l'on croit être ? L'immaté-
rialité serait la matérialité vraie; dès qu'elle
diminue, le matériel s'efface. Les sensibilités
restent le jouet des puissances animiques. La

brute seule aurait le privilège des corps, et
celui de s'établir dans une jouissance tactile,
dans une palpation comblée ! Faut-il se rési-
gner à vivre... à vivre *parallèlement* ? A ne
connaître, à ne sentir que des reflets ? Rien
d'autre ?

Voici qu'avec des éléments trompeurs, traî-
tres, l'homme d'en bas, s'était ouvert un immense domaine qui lui apportait une vie mul-
tipliée; sur des falsifications, il éprouvait des
sentiments vrais, et tant de souffrance, quand
on aurait pu rire, et tant d'ardeurs... Il
croyait : tout est là. Qu'importaient l'inquiétude, la fièvre en face de la sensation centuplée?

Pour la première fois, le moderne jeune
homme, l'affranchi, eut la perception du déséquilibre, de l'incessante interrogation qui
avait assombri et si souvent dissocié ses devan-
ciers. Les grands mots qui lui avaient semblé
des exagérations vaniteuses, un romantisme où
la souffrance faisait le lit de la paresse, l'à
quoi bon, la peine de vivre, la destinée, les alar-
mes métaphysiques, prenaient corps dans son
esprit détendu par les molestations. Il fris-
sonna en regardant la longue façade d'argent
qui s'enlevait sur le crépuscule hâtif du vallon. Il envia presque le dément, et son âme
instable, et il l'aperçut en lui, grandi de son
amertume, de son désespoir.

Mais, brusquement, il se ressaisit; il redressa
les épaules, tendit le torse :

— Non, — proféra-t-il à haute voix. —
Non ! La gaieté de l'esprit prouve sa force, et
le bonheur de l'homme a nom : « Je veux ! »

*

— Il faut absolument revenir pour le goûter, — disait la douairière à son hôte vagabond : — vous savez que les repas du soir, ici,
sont incertains... Avez-vous assez dîné ?

— Trop, dix fois trop de bonnes choses...
Les rites sont toujours respectables, mais
doivent-ils devenir des entraves ?...

— Voulez-vous de ceci ? — Bonne-Dame lui
tendait une sorte de brouet grumeleux, presque infantile, de ces mets si mous qui ont
pourtant fait des hommes si forts : et comme
Guy ne cachait pas son manque d'attrait pour
le farineux, elle reprit, choquée et curieuse-
ment érudite — : « C'est pourtant cet *arrow-
root*, le dernier mets que prit lord Byron, à
Missolonghi...

On l'interrogea sur l'intérêt qu'il trouvait
chez le major. Avec une pointe de jalousie,
l'on s'informait. En tête-à-tête avec la fade
et délicate couventine manquée, il lui parut
que ce qui appartenait à la maison de l'abîme
relevait d'un autre monde, dont il sentit vio-

lemment la supériorité... Eh bien oui, la supériorité, même si cela finit par la camisole de force ! Plutôt que d'amener des outils, il travaillerait en bas. Plus tard, il comptait organiser un atelier ici même... Cependant, pourrait-il longtemps abandonner la Ville ? D'autres forces, « osmotiques » elles aussi, agissaient là-bas, et qui valaient mieux que les suggestions d'un pays ravagé. Mais il ne le dit pas.

*

La douairière n'avait pas l'habitude de veiller; ici, autrefois, on se couchait avec les poules, et la jeune fille devait rêver longuement dans la jolie chambre tilleul, avec des livres, des lettres (oh, ces lettres !...) Guy fut seul et sortit pour attendre Arsène qui devait lui apporter des nouvelles de l'autre.

Il vint. Le major se montrait calme quoique singulièrement « sonné ». Pauvre homme au bord des gouffres...

L'étang s'agitait d'une vie nocturne intense. L'eau paraissait comme touchée de gouttes de pluie. La lune se levait, à gauche. Ce n'était pas triste, cependant, malgré le docteur et l'homme d'en bas, pas tragique... Mais Guy vit la soubrette sortir subrepticement et rejoindre une ombre : Arsène, vainqueur, et cela lui fit mal, redoublant son veuvage... Le chauffeur,

cette nuit, ne percherait pas dans la petite
chapelle...

En bas, tout était noir; le halo qui, à l'ordinaire moussait au-dessus de la gorge, sous les
éclairages démentiels du noctambule, ne brillait plus. Peut-être, après tout, que le vétéran
était lui aussi en train de claquer, rendant son
sang dans quelque coupe d'or, quelque cuvette
de Faënza introuvable, dans une majolique
sans prix... Malheureux, qui lui aussi avait subi
dans sa force, son attraction, la beauté de la
jeune fille; qui l'aimait aussi. Ses injures s'ex-
pliquaient par une pauvre jalousie impuissante, qui ne le diminuait pas; même, au contraire. L'amant préféré, et de si loin, avec tant
de certitude, devient compatissant pour ceux
qu'il laisse à la traîne.

Guy n'avait pas exagéré ses sentiments de
sympathie. Une conséquence étrange du
jeune amour reste cet élargissement général du
cœur. Aider, soutenir! Mais il s'interrogeait
sur la portée, la vérité des reproches : se trou-
vait-il en train de diminuer sa chère fille, de
lui imposer une dégradante platitude, une ob-
servance mesquine ?

Mais, entre eux, se formulaient les exigen-
ces de la vie. Part-on pour toute une existence
comme pour une promenade de quelques
jours ? Plaise aux aventuriers de courir l'aven-

ture. On ne se débarrasse pas si rapidement de
l'héritage raisonnable. Guy de Réville, malgré
ses airs, demeurait le petit hobereau normand
pour qui le mariage est un engagement grave.
Ah, tout ce pays vibrait d'une accélération
désordonnée... Le toubib lui-même avait son
grain, son grelot de folie. La jeune fille n'était
point de celles qui pulvérisent le sens du bonheur. Il suffirait de l'arracher à ce milieu mal-
sain, à cette menace latente qui déborde et
s'insinue. Toutes ces morbidités, ces mélan-
colies...

Mais Guy lui-même était-il si sûr de sa solidité personnelle ? De sa résistance aux microbes maléfiques ? Ne devinait-il pas que la
joie restait un fardeau ? La joie obligatoire
n'est-elle pas un bagage épuisant à soulever
pour le cœur et la tête. La joie est peut-être
anormale, anormale, comme la santé. L'être
ne serait-il pas un condamné, dès le premier
souffle ? Allait-on trébucher dans la détresse
dès les premiers pas ? L'homme naturel
avance-t-il vers la détresse morale comme il
avance vers la décrépitude physique ?...

Il se rejeta en arrière; une trombe, conique,
lumineuse de brume scintillante venait de jaillir de l'abîme. Le toqué semblait répondre; en
tout cas, il ruminait encore, râlait toujours.
Partir !

XVIII

I L n'y aura bientôt plus que vous de valide
dans ces parages, — fit le major : — Si
vous n'étiez venu, j'envoyais le chauffeur insolent à votre recherche... Je voudrais
vous faire oublier les heures lamentables
d'hier...

Mais Guy était heureux et tranquillisé. Il
travaillait. Le matin, il avait pu se rassurer.
Comme il passait devant la porte blanche, les
trois notes du sifflet avaient précautionneusement résonné... Il prêta l'oreille et perçut un
ronflement qui ne devait pas appartenir aux
minuscules narines de son amie. Il ouvrit la
porte. La jeune fille lui sourit, toute claire...
Elle montra de la main la garde-colosse qui
dormait jambes écartées sur la chaise longue,
comme une fille de kermesse tout à fait saoule;
la malade envoya à Guy un baiser de chaque
main. Il entendit : « Ce soir, ce soir... » Il referma, débarrassé, souple et vif.

Il répondit au major dans la vérité de son âme; avec une franchise qui pouvait le rendre agaçant, et lui enlevait de la mondanité :

— Inutile de vous reprocher quoi que ce soit. L'impression d'art que je vous dois efface toutes les autres. Elle me suffirait s'il n'existait point, à ses côtés, le souci de vous-même, Monsieur. Laissez-moi le redire : l'homme remarquable que vous êtes ne devrait pas se détruire ainsi; il n'en a pas le droit. Si je n'étais pour vous qu'une relation trop neuve, je prendrais à cœur de lutter près de vous. J'ai confiance dans un tas de choses qui ne sont point médicamenteuses : le travail, la règle, l'habitude, le sport.

Le vétéran ne relevait pas les yeux. Guy y aurait peut-être lu sa commisération pour une pareille juvénilité, pour ses petits trucs. Mais le ciseleur attaquait son travail avec la virtuosité des grands jours. Le collectionneur répliqua :

— Je tiens quand même à expliquer... Il y a des êtres à part, dans le monde moderne si plat, si mou, si pareil : ce sont les guerriers, les combattants. Ils donnent la mort et la reçoivent pour leur pays. Pour assurer par des sacrifices, la paix aux tranquilles; aux justes et aux injustes... Toute ma jeunesse s'est dépensée ainsi.

« Seulement — et voici à quoi l'on n'accorde pas assez d'attention — nul ne fait bien son métier sans s'y consacrer entièrement, sans qu'il emploie son âme à la suite de son corps.

« Croyez-vous qu'un grand artiste pourrait montrer aussi les qualités ordonnées et méticuleuses d'un *attorney*, d'un homme de loi ? Soumettrez-vous le soldat aux principes du tabellion ? Non, n'est-ce pas ! Pensez aux nombreuses qualités *humaines* dont il faut l'amputer ; aux vices même, qu'il faudra lui greffer. La cruauté, d'abord. La guerre n'est que très rarement une œuvre indolente, de pousse-gâchettes ou de pointeurs. Le plus souvent, elle exige un mordant immédiat, une ardeur « endiablée », dites-vous dans votre langue, une furie de vitesse. Le bon soldat, dans la bataille, doit se comporter comme un haineux en pleine crise de rage, pour utiliser toute son énergie dans le minimum de temps, afin de *vaincre*.

« Et survient le drame, le drame abominable : une fois que le soldat n'est plus en guerre, les mœurs actuelles exigent de lui toutes les vertus paisibles.

Il réfléchit et, reprenant :

« Le soldat moderne doit être un organisme à robinet; passer du flot irrésistible au goutte à goutte. Le vrai soldat ne peut s'y plier sans dommage, sans déformations.

« Le bon soldat est devenu une *habile bête féroce;* il tue vite et bien. D'ailleurs, quand on est parvenu à ce stade, la chose devient un besoin. Chaque fois qu'on a tué au combat, c'est pour vous une naissance nouvelle : on vient de *tuer sa mort.* On renaît, l'on grandit, et cela grise. L'habitude est entrée en vous. Il ne faudrait jamais s'arrêter, jamais se donner le temps de réfléchir. Jamais de congé, ni, ô Dieu, jamais de retraite ! Ne plus revenir dans un monde timide pour y être inactif et légal. Etre obligé de parlementer pour une poule du voisin qui abîme vos parterres, quand, d'un geste, d'un seul doigt, on a déclenché des mitrailleuses...

Silence.

« Et même si vous espériez redevenir paisible, oublier la mort, croyez-vous un instant qu'elle se laisse faire ? Un soir, l'on retrouve, sur un renard qu'on assomme, la grimace d'un indigène qu'on étrangla poitrine contre poitrine; dans un sanglier qu'on vient de servir à l'épieu, on revoit l'œil tournant d'un Noir ou d'un Jaune que vous avez coutelassé jusqu'à la garde, afin de sauver votre peau et la victoire.

« Alors, comme si ceux-là avaient raccolé les autres, voici que, de tous les points du

monde, se lèvent les morts malcontents, contre le vieux soldat qui rêve... Ils secouent la
terre hâtivement jetée sur eux pour les cacher plus que les ensevelir. Ils passent des bras
décharnés, verdissants... Ils finissent par dresser leurs têtes enturbannées... Que de turbans,
pour nous autres, les vétérans orientaux ! Ils
viennent, ils attendent leur tour, à eux, leur
revanche. Ils cernent le vieil homme, ils sont là
en cercle, saignants, noirs, en lambeaux, mais
menaçants, mais impitoyablement attentifs.

Guy, fermement :

— Le soldat n'est pas responsable. Lui s'est
exposé.

Silence.

— La responsabilité morale n'est pas en jeu,
— reprend le major, — c'est le souvenir physique, sensoriel, qui ne se laisse pas fléchir. On
est hanté par la mort *parce qu'on l'a délaissée.*
Parce qu'on vit à côté d'elle en état de chasteté. Une seule rencontre encore, et l'on serait peut-être débarrassé du désir, de la nostalgie... Peut-être même se résignerait-on à
préparer la dernière rencontre, le dernier hymen, sur soi, faute de mieux...

Il se ressaisit, et fermement :

« L'on reste sensible à ce qui appartint à
la mort, comme aux bijoux d'une femme dis-

parue. La main se replie avec confort sur le
manche d'un poignard bien fait; l'œil regarde
complaisamment un pistolet bien équilibré,
couleur mouche de boucherie, bleu comme
elle. Il en est pour nous, des armes, comme
pour vous d'un bon burin : même quand vous
ne travaillez plus, vous aimez vos outils.

« Ne nous méprisez pas... Rappelez-vous
que nous avons déblayé la terre pour vos voya-
ges, pour vos promenades, nous ! Nous avons
connu les inquiétudes et les tourments des
précurseurs ; vous qui tenez à vivre avec l'âme
joyeuse et sereine des demi-dieux, pensez à
nous, qui avons tellement peiné. Ne dédaignez
pas !

Silence.

— Vous allez vous marier ?
— Dès qu'elle le pourra.
— Si vous vouliez rester ici et y pratiquer
votre art, ce serait facile... J'ai moi-même de
grands projets et qui pourraient vous intéresser. Où vous auriez votre part. Et l'on est tout
près de chez vous. La *Fille aux Léopards* est
venue moins vite qu'un voyageur et voyez...
— Il faut être là-bas, — opina le jeune
homme, sans plus, se refusant à déclarer son
antipathie pour la contrée...
— Mais ici l'on vous apprécie bien plus
qu'en France. Les Français sont la moyenne

la plus intelligente de l'Europe, — mais la
moyenne, attention ! — Ils n'ont plus de
grandes individualités... Ils frappaient jadis
des médailles, à tout bout de champ : ils en
sont aux fausses pièces, aux gros sous. La dé-
mocratie n'est que monnaie de billon. Avez-
vous jamais travaillé pour « la moyenne » ?

— Non, Monsieur, et j'enrage d'être obligé
de m'en tenir à la caste.

Silence.

— Je ne veux pas vous capter, mais consi-
dérez tout ce que je possède, ces objets, ces
beautés... Je rêve de tels groupements ! N'ayez
pas horreur des histoires d'hier... Pour beaucoup, — poursuivit-il avec un visible effort,
— ce doit être apocryphe, erreur... Je renonce
en partie... Peut-être que je comprends mieux,
aujourd'hui...

— Il me serait impossible de travailler
toujours pour vous, — répond Guy.

— Qui peut mieux vous comprendre ?
Vous le sentez, vous le savez ? (ceci dit rapidement).

— Personne, — réplique l'artiste, dans la
même vivacité; — mais je ne pourrais m'appliquer avec la pensée que ce que je fais ne
doive survivre. C'est enfantin, mais on ne dis-
cute pas avec une impression profonde, sur-

tout en art. L'idée de vos vannes m'enlèverait
tout courage. Il me faut un sentiment — stupide ! — d'éternité...

— Et si je vous léguais le tout, est-ce que
vous habiteriez ?

— Monsieur, il y a quatre jours que nous
nous connaissons !

— Vrai. Mais n'oubliez pas qu'à mon tour,
moi, je ne pourrais trouver personne, PER-
SONNE, qui fût plus digne de tout ceci. Et
c'est un argument bien puissant, car ainsi,
cette réunion échapperait à ce que je lui des-
tine, que je lui réserve, entendez-vous, de pro-
pos délibéré et sans rémission... Ne répondez
pas tout de suite. Seulement, un dernier mot :
trouvez-vous la chose impossible, par prin-
cipe ?

— Bien difficile, Monsieur : j'aime tellement mieux donner que recevoir...

— Moi aussi, et c'est justement pour cela.
Mais n'interdisez pas à votre esprit cette dis-
cussion. Comprenez sa gravité, ici, en présence
des statues...

— Monsieur, je ne puis m'engager en rien.
L'idée me choque quoi que je fasse.

Silence.

— Cependant, — poursuivit le major, —
les mots que vous avez dits hier, au départ de

la chambre des joailleries, ces mots-là, dois-je
les oublier ?

— Moins que jamais, Monsieur, — réplique
Guy dans un chaud mouvement de cœur, — et
ce que vous venez de proposer en augmente-
rait la vérité... Mais, en fait, parce que j'ai
pour vous plus que du respect, je me sens gêné
par votre offre. Je serais obligé de surveiller
les marques de cette sympathie que... J'aurais
le sentiment qu'elle pourrait s'attribuer à de
l'intérêt... Enfin, quelque chose comme cela.

— Alors, vous allez, par dignité, jouer à
me haïr ! Soyez certain que vous serez le premier qui n'en ferait que semblant...

Silence.

La figure ciselée s'avançait; elle s'épanouissait, elle prenait enfin de la douceur, des mol-
lesses charnelles. Guy s'aperçut qu'il copiait
inconsciemment... Il supportait difficilement
une indécision mentale et s'insurgea; mais il
trouva très vite : il s'inspirait de son amie. Un
grand artiste travaille ainsi dans un idéal qui
est en lui, qui l'emplit et s'échappe de sa maîtrise. Même les portraits d'un maître sont re-
liés par quelques caractéristiques communes,
variations d'un type directeur.

Il en fut charmé. Il lui sembla qu'il redon-
nait de la force à la chère fille, comme il don-

naît de la solidité à la forme; ainsi, il prati-
quait le contraire d'un envoûtement, il réussissait une revigoration par l'image. Dans son
travail, il oublia tout, les splendeurs, le sauvetage des merveilles, le sauvetage de l'autre...

Silence.

— Croyez-vous que la jeune dame se fera
à votre ville ? Pour ce qui touche à la santé,
c'est bien un des plus mauvais endroits du
monde avec Bénarès... Dans une once d'air,
à quatre heures, sur votre plus belle place,
on a pu décompter deux millions de microbes.
C'est la campagne et la lande qu'il faut à cette
jeune fille, et la brise qu'elle aime. A peine entrée dans votre capitale elle prendra toutes les
maladies les unes après les autres.

— Je compte habiter en banlieue, au dehors. Et quelle est la femme délicate qui n'ai-
merait pas nos rues ?

— La banlieue est bien laide, de la plus
déprimante tristesse...

— Nous serons tous les deux, — murmura
le jeune homme.

Le major ne répliqua point.

Silence.

— Est-ce que je puis venir voir le travail ?

— Je vous l'apporte, Monsieur.

Guy se leva, s'approcha du divan et tendit son boulet :

— Magnifique !... Mais, c'est... Comme elle sourit !

— Oui, c'est elle... Malgré moi, ou plutôt sans y penser. Je l'ai inconsciemment prise pour modèle. Mon esprit ne s'en détache guère...

— Alors, il faudra donc que je vous rende ceci ?

— Non. Nous vous devons beaucoup... Nous n'oublierons ni la course folle, ni les soins, ni les attentions de toutes sortes... Un peu de sa vie, sans doute, vous est dû. Permettez-moi de terminer ce relief pour vous en faire hommage. Elle-même serait heureuse... Je vous rendrai une plaque d'argent...

— Oh, le travail seul compte. Hélas ! que n'y avez-vous consacré une plaque d'or... Je vous remercie. Cela est splendide ! C'est bien ainsi. N'allez pas plus loin... Il ne faudra plus jamais y toucher... C'est fini... Jamais !

XIX

Toute la maison était là, près du docteur.
Elle attendait. Lui riait :

— Ma venue, ma présence sont bien
inutiles. Voici le seul médecin... Précédez-
nous, heureux homme.

Là-haut, on entendit une bataille, l'infirmière appela au secours.

— Docteur, Mademoiselle s'est levée !

— Tient-elle debout ? Oui ? Alors, parfait !

Guy grimpa les marches :

— Ah, Guy !...

Elle s'épanouissait, tout émue et rose —
peut-être un peu trop rose. Du fard ? Elle
brillait de joie : « Mon Guy... »

Choquée, la garde jalouse tourna le dos et
s'éclipsa.

Guy, penché sur le fauteuil, baisa bien sagement la douce joue parfumée... La jeune fille
rit tout bas :

— Je suis contente... A mon tour, mais pas
sur la joue ; ça finit par ne plus être conve-
nable.

. . . .

— Assez, Chérie... Soyons sages...

— Ah, bien, — fit-elle, — je me sens forte comme une femme d'ogre, et j'ai faim comme son mari... Dis-moi vite — après, je ferai ce que tu voudras — si j'étais mauvaise, épouvantable, est-ce que tu m'aimerais quand même ?

— Oui, quand même...

— Et si j'ai du remords, des soucis, des diables bleus plein la tête, est-ce que je dois tout chasser ?

— Oui, maison neuve, pour l'amour neuf.

— Dis-moi durement, Guy : « *Il ne faut songer à rien...* »

Il dit : « Il ne faut songer à rien », et il le dit dans une force qui sortait de toute sa puissance profonde... Pour corriger cet accent trop grave, il ajouta : « Etre bête, mais bête ! Obéissante ! Uniquement ce que je veux, et molle comme... comme un *gâteau-flanelle* » (d'horribles crêpes qu'il haïssait).

Elle rit et continua, rapide : « Encore ça ; ils vont venir. Tu ne crains pas que tous ces mariages, ça ne nous porte malheur ?

— C'est le bonheur, le vrai, le grand, le seul...

— Bon ! Embrasse-moi vite : voici les miliciens.

Humain insatiable, il eût désiré qu'elle fût moins gaie.

*

Ils montaient, en effet, faisant, par discrétion, le plus de bruit possible, autant que des rabatteurs ! La jeune fille se leva. Guy la surveillait, anxieux, mais, après quelque hésitation, elle marcha droit vers la porte...

— Voilà, mon petit Docteur, mon petit Docteur chéri...

— Je n'ai plus qu'à battre en retraite...

Elle lui dit à l'oreille :

— Dans la retraite, emmenez l'infirmière. En dormant elle fait tant de bruit ; une ourse dans la pauvre petite chambre de la jolie pauvre petite.

— Oui, je la lâcherai dans la montagne... Asseyez-vous, je vous prie... Ne dansez plus, par grâce ! — il lui prit les mains; — encore un peu chaudes... Un après-midi d'ennui, bien tassé, et ensuite, à vous le monde !

— A *nous*. Et vous me laissez ce garçon-ci ?

— Demain, avec le reste.

— Oui, Docteur, vous m'emmenez aussi... J'ai des démarches à faire, — dit Guy...

— Oh !... — se plaignit-elle : — c'est la conjuration. Pauvre Mary Stuart !...

*

Le docteur et Guy occupaient les places avant de la voiture bain de pied. L'infirmière

s'étalait, dans le fond si on pouvait le dire...
D'ailleurs, ne perdant jamais son temps, elle
pionça tout de suite. Le médecin semblait
rêveur, touché. Il souriait tout seul. Enfin :

— Quelle vie anime cette enfant ; en réalité toute délicieuse, pirate !... Le praticien
vaut, chez moi, certainement mieux que le
détective...

— I *think* so, toubib ! — répliqua Guy.

*

Il rentra vers cinq heures, dans le plus
complet épanouissement. Il franchit l'escalier
en quelques bonds... Mamy sortit pour lui
livrer la chère fille. Nick dormait sur les genoux de la jeune fille. Elle était tout en blanc
mousseux, avec, autour des épaules, des coussins de dentelle. Guy eut la sensation trou-
blante d'une récente accouchée. D'une beauté
toujours neuve, frappante, avec ses cheveux
si noirs, dans cette brume de lingerie, et avec
ces yeux tellement clairs... Il ralentit pour en
jouir mieux. Cette fois, elle semblait plus
grave, et, maintenant, voici qu'il en prit quelque alarme.

A peine fut-il assis près d'elle :

— Qu'est-ce que vous faisiez chez le
major ?

— On vous a dit ? Quel bonhomme ! Quel
homme !...

— Je connais la méchante histoire du bain,
et la quête de la cisaille. Le bain, vous êtes
bien imprudent, et la cisaille, bien sans gêne.
Mais comment êtes-vous entré en vraies rela-
tions ; il est difficile, rebutant, enfin, il se
refuse... On m'a dit que vous y alliez tous les
jours ?

Guy raconta, parla de son métier ; de ses
engouements. Il avait révélé au major son nom
de guerre...

— De guerre ?

— Oui, mon pseudonyme ; même les femmes de théâtre, Chérie, ne portent plus en
France de particule. Cela suffirait pour vous
couler... J'ai dit mon surnom...

— Alors ?

— Chérie, vous n'êtes pas sans savoir que
ce nom-là n'est pas complètement inconnu,
dans votre pays. Le major s'est décongelé.
Est-ce qu'on me cherche une petite querelle ?

— Non, mais j'espérais que vous vous en-
nuyiez tellement ! Et cela aurait pu continuer
ainsi dix années... Vous causiez tout le temps ?

— C'est un être extraordinaire. Un grand
artiste, un très grand animateur. Quelqu'un,
malgré tout, de très remarquable.

— Malgré tout... Il vous a promené partout... Oui ? Ah... Et qu'est-ce qu'il disait de
Mamy et de moi ?

— Il en parlait très peu, mais on sent qu'il

vous réserve une grande amitié, une grande
affection, une grande — oui, enfin, une petite
tendresse... Il fallait le voir conduire, pour
chercher le docteur, et comme il l'a enlevé
sans lui permettre de piper...

— Piper ?...

— Oui, protester... Chérie, il est indubitable que, pour vous, le pauvre vieux couve
un peu d'amour...

Elle paraissait choquée, avait rougi. Elle rit
même, pour dissiper cette gêne...

— Tout le monde, alors, Guy ?... Il y a aussi
le docteur, le jardinier, le porteur de lettres...
Cinq, Guy.

— Très possible ; Chérie, quand nous serons en France, ce sera toute la rue, tous les
voisins, tous les sergots, les cochers, tous les
balayeurs. Ah, vous pourrez passer rue Royale,
au retour de Longchamp, vous, Chérie... sans
risques...

— O Babylone ! — soupira-t-elle, — mais,
quand même, j'ai grande envie d'y être. Vous
serez jaloux de toute la rue, Guy, de tous les
sergots, de tous les balayeurs ?...

— Je ne sais pas... — répondit-il, saisi par
une mélancolie soudaine ; — c'est le seul tourment que vous ne m'ayez jamais infligé... Si
je sentais votre âme se détacher de la mienne,
pourrais-je encore vivre? Et pourtant, je voudrais arriver à vous dire : « Va vers ta joie,

mon amour, ma bien-aimée, même si ta joie devait être pour moi le désespoir... »

Elle agita sa perruque :

— Non, Guy, c'est trop haut, je n'aime pas ça... Ça me fait mal, à moi aussi.

— Mais, sans doute, ne parviendrai-je jamais à un pareil renoncement, Chérie.

— Je l'espère bien... Est-ce vraiment beau ses choses ?

— Les collections d'en bas ? Incomparable. C'est bouleversant.

— Ah... Alors, il était aimable ?

— Pas caressant, non. Mais les enthousiasmes partagés, cela réunit. Je crois qu'il voudrait me faire rester ici pour y travailler.

— Par exemple ! — elle se redressa : — Vous avez refusé, j'espère...

— Oui, en fait... Je ne veux pas que vous demeuriez ici ; nous y reviendrons, ce n'est pas si loin.

— D'ailleurs, on part demain, et on emmène Nick. Nous irons chez une cousine qui nous attend. Il faut...

— Vous ne pourrez jamais...

— Si, j'ai marché une demi-heure en trois fois. Je descendrai ce soir. C'est tout arrangé.

Elle sembla contempler quelque chose de triste. Guy crut qu'elle se prenait à regretter son pays, son beau et large pays, sa gracieuse maison. Il lui posa la main sur les yeux.

Elle se détendit toute, assouplie, amoureuse.

★

Ils venaient de passer la plus merveilleuse
soirée, trop douce, trop tendre, terrible à in-
terrompre... Mamy, plongée dans les valises
aussitôt le dessert, afin, disait sa fille, d'oublier
l'essentiel, les avait abandonnés à eux-mêmes,
dans la grande bergère près de la fenêtre, et
ils étaient restés engourdis d'amour en face
de la nuit bleue.

Elle n'était pas gaie : elle était mieux.
L'amour semblait la paralyser. Guy se taisait,
dans la palpitation intense de tout son être.
Elle n'avait pas tenté de venir sur ses genoux
comme d'habitude, par un mouvement si
souple, cette torsion ravissante qui l'adaptait
immédiatement, intégralement au vaste giron
de son ami. Elle restait dans le noir, au long de
lui, blancheur tiède qui attendait.

Il y avait là, déjà, quelque perfection presque complète, une union si sensible, si intime,
si moelleuse qu'on aurait pu, qu'on aurait dû
ne pas désirer plus.

Et son adieu ! La fille mince et fondante
s'était scellée contre lui, tout entière, jusqu'à
la douleur. La bouche avait frémi. Etaient-ce
des larmes ou des baisers dont Guy sentait
refroidir son visage ? Puis d'un seul coup, elle
avait disparu.

★

Avec l'insomnie, Guy se révoltait, enfin, contre cette solitude, contre ce veuvage dans la nuit admirable... Seul, désert, dans la déception et l'énervement de tout son corps, dans l'inquiète demande de ses bras, l'instance de ses mains, de sa peau... La passivité de la jeune fille, tout à l'heure, ce n'était point de la sagesse, mais l'attente précieuse, la soumission dans l'avenir. N'était-ce pas surtout une attente déçue ? Il était misérable.

Son lit ne le calmait pas ; il se surprit à la nommer, à l'appeler, à voix très basse, d'abord, comme on eût pu le faire en rêve, et à chaque fois que les syllabes magiques ébranlaient l'atmosphère, il lui semblait qu'elle approchait, que chaque invocation l'attirait, et, marche à marche, appel par appel, invinciblement aspirée, qu'elle montait.

Il recommença à l'invoquer, plus haut... N'avait-elle pas dit, il y a quelques jours : « ... Si j'avais eu l'audace ?... Un bonheur pareil pourrait-il jamais être coupable ? Dans la nuit tiède, la nuit bleuâtre et veloutée, la plainte amoureuse se répétait, la psalmodie sensuelle s'aggravait, venue de toute la pauvre chose humaine délicieusement torturée...

On avait bougé en bas !

Il se sentit devenir blême. Dans une trombe

émotionnelle, il se redressa sur les poings...
Mais les battements de son cœur l'étourdis-
saient.

★

NON ! Il s'était trompé, leurré... Il retomba, dans un chagrin à gémir. Il ne pouvait
plus supporter ses toiles. Il s'étendit sur le
carreau d'argile, le carreau froid, à plat ventre,
comme s'il voulait s'approcher plus encore,
et voir à travers le plancher. Il écarta ses vêtements pour prendre contact de sa peau nue.

Il aurait dû se coucher sur une herse de fer
pour se dompter, pour se retrouver lui-même,
celui qu'il voulait être ; celui qu'il voulait préserver. Mais le Souverain Seigneur dominait,
imposait sa loi sauvage, lui qui ne voulait rien
entendre de raisonnable, de médiocre, de pa-
tient. Guy de Réville n'existait plus : l'inconnu, le redoutable, l'AUTRE avait retrouvé
sa domination de combat, d'acte, de violence.
De désir, hélas...

Mais vraiment n'avait-on pas bougé ?

Non... Non ! Alors, il se releva. Il cla-
quait des dents, il étouffait, pris à la gorge,
traversé de lueurs brûlantes, cinglé de coups
de fouet. Il alla jusqu'à la porte qu'il entre-
bâilla pour mieux entendre, croyait-il, peut-
être. Il l'ouvrit en grand et elle s'y prêta, sans
un grincement. Des espaces sonores s'ajoutè-
rent à ceux de sa chambre... Il s'avança sur

le palier. Puis il se tint immobile sur la première marche, l'âme aux dents.

La maison baignait dans un tel silence qu'un
craquement aurait paru une détonation.

Alors il commença à descendre.

*

Les premiers degrés étaient de bois. Il se
mit à quatre pattes pour diviser son poids,
dans la crainte qu'une marche ne pût bruire,
et il éprouva du plaisir à se plier ainsi, comme
une bête fauve. Sa longue souplesse vigoureuse devenait vraiment féline ; ses doigts
habiles exploraient, furetaient... Enfin, il retrouva la pierre froide et se redressa, marchant dans une palpation lente.

La porte blanche fut devant lui. La lune,
pénétrant par la fenêtre à meneaux du cou-
loir, dessinait dessus une longue croix bleue
un peu déviée vers la gauche.

Il se tint debout, réduit, pantelant. Il vacil-
lait... Allait-il enfin se reprendre ? Renoncer,
remonter ?... Il sentit avec un abominable
espoir qu'il en aurait été incapable... Jamais,
jamais ! Une félicité délicieuse et terrible
l'envahit dès qu'il avança la main.

Il saisit le bouton de la porte, froid. Il
tourna, comme un assassin, avec précaution...

Un coup en pleine figure ne lui eût pas paru
plus inattendu, plus douloureux, plus humiliant: ELLE AVAIT FERMÉ SA PORTE A CLEF !

XX

Il réagit. Elle n'avait pas voulu se défendre contre lui. C'était, sans doute, une habitude... Tout valait mieux que de se retrouver seul là-haut, après cela, surtout. Il frappe !... Rien. Il frappe encore... Il perçoit un petit bruit grinçant et répété venir d'en bas, et qui monte. C'était Nick, réveillé. Devant la porte blanche, le petit chien le salue, puis gratte et gémit sourdement.

Pourquoi ne répondait-elle pas ?

Guy évoqua immédiatement le pire. Il avait, en une seconde, sauté sur une console d'appui, et plongeait ses regards dans la chambre par le vasistas ovale de la porte d'entrée. La veilleuse électrique d'Arsène éclairait. LA CHAMBRE ÉTAIT VIDE.

En face de lui, le petit lit entre les fenêtres, absolument plat, ouvert comme brusquement, couvertures rejetées. A droite, l'ancienne alcôve servant de toilette montrait elle-même son vide sans mystère. Rien !

Il connut une anxiété d'autant plus mordante qu'elle était vague. Mais c'était un homme à qui le fait du danger, le matériel, rendait immédiatement ses moyens d'action. Il fallait qu'il entrât. Le verrou ? Inutile ; il le revit, énorme, dans sa gâche ancienne : le bruit eût été effroyable. Mais il revit aussi le crochet qui fermait le vasistas : un bout de fil de fer tordu, flasque et mou dans son œilleton. Là, qu'il fallait agir.

Il saisit un coupe-papier, un ouvre-lettre, sur la console, et, poussant sur l'œil-de-bœuf, il passa la lame dans la feuillure. Puis le laissa revenir afin de diminuer la pression sur le crochet... Alors, lentement, il releva l'ouvre-lettre. Il entendit le crochet rebondissant sur la paroi et le vasistas s'ouvrit sous sa main.

Un rétablissement, et il tomba dans la chambre avec la souplesse, le silence d'une balle mousse.

*

Une minute encore, son sang-froid lui fut ravi. En posant ses mains sur la couverture, il perçut qu'elle restait encore tiède. Il fouilla avec son visage dans les draps, les couvrit de baisers, s'entourant la face, les mordant. L'odeur de lavande l'étouffait.

Mais où était-elle ?

Il revint à la porte ; la clef tournée, le verrou poussé. Deux fermetures, absolument délibérées. Aucune autre issue. Donc, elle devait être là... et la chose devenait épouvantable.

Il alluma le lustre, et la solitude de la chambre parut implacable.

Il entendit Nick pleurer. Il alla lui ouvrir la porte avec l'espoir que le chien trouverait.

Le petit bull noir vint directement au cher lit, suivant son habitude. Y sauta, puis chercha, grognotant. Bouleversa toute la literie, dans une sorte de curieuse obstination... Puis il ressauta à terre, et alla tout droit à une des armoires d'attache qui doublaient l'alcôve et servaient de penderies. Il gratta au vantail et recommença de gémir. Guy, la chair hérissée, crut qu'il n'arriverait jamais à ouvrir ce battant: qu'allait-il trouver derrière ? un corps ployé ? La porte tourna... Rien qu'un placard vide, des chapeaux sur la planche supérieure, et des portemanteaux inutilisés.

Le chiennot grattait maintenant au fond de l'armoire. Il grattait, entêtée petite chose convexe ; exactement comme, deux fois déjà, il avait gratté à la recherche... Le chien devait être guidé par son instinct et son flair. Alors, elle serait sortie, sortie en utilisant quelque porte secrète. Ceci s'ouvrirait-il ? « Nous connaissons trois cachettes... » Les mots de la mère lui revinrent à l'esprit... Aller chercher la douairière ? Impossible, si tout cela s'expliquait naturellement, *comme cela ne*

pouvait manquer de se faire, comment moti-
ver sa présence ?

Il chercha l'amorce d'une fermeture, une
clef, un bouton... Rien de cet ordre. Le fond
bougeait-il. Si c'était une porte, le fond, malgré l'ajustage, avec le temps, devait avoir pris
du jeu. Il s'arc-bouta... Ah, nettement ! Le
fond était mobile ; devait être immobilisé
mais sur une faible longueur, comme par un
pène, car il pliait absolument autour d'un
point au tiers de la hauteur. Il chercha, dans
une exaspération croissante. Alors, tant pis,
comme il ne trouvait rien, il se décida. Prenant point d'appui des reins sur l'autre paroi,
il se distendit, s'allongea dans une tension mus-
culaire dont la puissance lente allait toujours
croissant. Il avait appuyé ses deux mains, ses
deux mains à plat sur la feuillure bouvetée
réunissant les deux planches pour former ce
long panneau de lambris XVIII⁰ siècle. Il pesait
et sentait plier la jointure... Le panneau se
disjoignit, la planche de droite quitta la rai-
nure latérale, tomba presque sans bruit à l'intérieur, sur des choses molles. Il passa le bras,
chercha une clanche, la trouva ; tout le lambris s'écarta ; la clanche dépendait des portemanteaux. Un escalier s'amorçait, sur lequel
le chien s'engagea sans hésiter, comme le trou-
vant naturel... Guy alluma une des bougies de

la cheminée, et suivit Nick, qui grognotait
plus bas.

*

Guy avançait maintenant sur un sol mou et
déclive... Il poussa une sourde exclamation :
devant lui, des empreintes, des empreintes de
petits talons pointus — et cette odeur de lavande qui persistait. Elle venait de passer là.
Et soudain, il se heurta presque à Nick... Une
porte sombre se dressait, coupant le conduit...
Elle aussi avait stationné devant. Les empreintes étaient réunies et plus creuses... Nick
grattait encore, regardant le maître pour l'engager, une fois de plus, à lui faire ouvrir...
Mais, cette fois, on n'y pouvait penser ; on
avait affaire à un vantail beaucoup plus ancien, avec des panneaux entretoisés et étroits.
Rien du lambris délicat et mince ; la porte
datait de la maison, de la construction primi-
tive ; elle eût résisté à la hache, presque au
feu... Guy promenait sa bougie sur les ais sombres... Une pince-monseigneur y serait restée
impuissante. Elle devait avoir l'épaisseur d'une
main.

Mais il se releva, froncé, atteint : ce vantail, dont la fabrication remontait à plusieurs
siècles, portait, dissimulée dans le coin droit,
très bas... — la jeune fille avait dû presque
s'agenouiller — une minuscule serrure amé-

ricaine de sûreté, sous son masque circulaire...

Nick s'acharnait, le regardait encore, et reprenait, surpris que le maître échouât devant cette trappe nouvelle, mais Guy prononça dolemment :

— Petit chien, nous sommes vaincus... Allons-nous-en. Viens !

Sans qu'il ne pût rien préciser, rien conjecturer encore, une conviction désolée s'établissait.

Quelque chose venait sur lui, sur eux...

Il remontait mollement, douloureusement, brisé. Quelque chose fonçait sur eux, à travers les espaces indéterminés, quelque chose de terrible, et contre quoi, alors, il n'y avait plus de lutte possible... Voyons, voyons !... reprendre le fil, rechercher... Quoi ?... Elle était sortie, et sortie secrètement, voilà le seul point de certitude ; sortie en se cachant de sa mère, car elle ne pouvait penser que Guy interviendrait. La veilleuse restée allumée, la lampe de poche emportée, la lampe de cuir, de la table de nuit...

Il s'assit sur le petit canapé, le chien sur les genoux, décidé à attendre tant qu'il le faudrait... A qui pourrait venir, il dirait qu'il était le maître... Du moins qu'il l'avait été.

*

Elle était donc sortie. De sa chambre ou de

la maison ? De la maison, hélas!... de la maison, à coup sûr ; une vingtaine de marches, la déclivité du corridor souterrain, sa distance...

Pourquoi était-elle sortie ? Il aurait pu craindre un nouvel accès de fièvre privant la jeune fille de raison, mais il n'y croyait pas, car un être hésitant, souffrant, ne s'affranchit pas de tant de difficultés, ne se prépare pas ainsi : le sweater blanc avait été revêtu ; les mules chaussées ; d'un tiroir ouvert, on avait retiré quelque chose, sans doute un châle, ou un foulard. Sauf le tiroir, tout avait été refermé après le passage ; et surtout, un être diminué par la fièvre ou l'inconscience n'engage pas une clef si difficile, dans une serrure si basse et si étroite... Le fonctionnement mécanique de ses déductions lui faisait penser que si elle était sortie, c'était afin de rejoindre quelqu'un ; pour lequel elle aurait écarté l'infirmière, et avant son départ du lendemain... Quelqu'un ? pour quel dessein préconçu ? Que savait-il de sa vie passée ? Si peu de chose. Dans son tourment et sa tourmente, il imaginait, réellement, des conspirations, ici, de possibles activités politiques ; la contrée était bondée de sectaires, d'affidés, de complices, de conjurés... Les vingt ans de la jeune fille ne la préservaient pas. Pas d'âge dans ce pays

pour l'aide secrète... Parce qu'il ne pouvait,
en aucune manière, ne pouvait imaginer un
crime d'amour. Jamais. Tout son être sensible
s'y refusait, protestait. Il se souvenait trop de
la tendresse, de l'ardeur frémissante, de
l'ivresse sentimentale, sensuelle même, qui les
avaient réunis durant toute la soirée. Non,
cette femme était sienne, absolument, intégralement, cette femme pantelante, prostrée, en-
vahie... Oui, l'Esther qui s'écroulait au premier regard du prince, et non de peur...

L'idée du docteur, ses allusions ne lui semblaient pas non plus possibles. Il avait profondément la sensation que tout ceci n'était point
une fin mais au contraire un départ, un début
de conquête et non pas une bataille perdue...

Mais, lui-même... C'était peut-être lui qui
l'inquiétait plus encore. Il se sentait tellement
à bout, tellement épuisé. Soudain, la fatigue
de ces quelques jours lui tombait dessus, le
courbait, l'écrasait. Dans son accablement, là,
sur le canapé, entrait une semi-impossibilité
de faire plus. Toute sa force nerveuse était
détendue ; son potentiel, tombé à zéro. Les
perceptions devenaient confuses, discontinues.
Il y avait quarante ans de distance entre le
garçon décidé, immédiat, qui tout à l'heure
avait réussi l'effraction, et celui qui, à demi
courbé, tassé, attendait, se désorganisait. Aller
réveiller la mère ? Peut-être faudrait-il s'y ré-

soudre... Dire qu'il avait été mis en alerte par
un bruit venu jusqu'à sa chambre... Ou ne rien
dire, laisser tout aller. Il n'avait plus sur soi
aucun contrôle, aucune autorité.

. . . .

Mais il vit Nick dresser ses longues oreilles,
et sauter de ses genoux, soudain. Il trembla,
inerte... Le chiennot courut à l'escalier, avec
de petits cris de joie...

Il perçut le choc des talons légers sur les
marches de pierre, et qu'on s'arrêtait soudain,
avertie, sans doute par la lueur inattendue, ou
bien par le bull-dog... Puis, qu'on remontait,
lentement, lentement.

Elle parut...
Elle baissa la tête pour franchir la porte
dérobée. Elle s'y immobilisa, les mains sur les
chambranles... Puis elle entra pas à pas dans
la lumière. Elle avait un peu de sang au menton et au bras... Inhumaine, et ses yeux sur
Guy, sans ciller...

— ...ne demande rien... — fit-elle, en
étendant les bras devant elle, comme si elle
tombait : — ne demande rien. Rien. Aide-
moi. Viens.

Il retrouva de la force. Il la rejoignit, il
allait appeler.

« Non, tais-toi... Viens ! Aide-moi...

Il put la soulever, la porter jusqu'au lit, il
la supplia :

— Le sang qu'est-ce ?

— Rien. Ne demande pas... Couvre-moi.

Elle grelottait. De sa main restée libre, il
l'enveloppait avec les couvertures. Il saisit une
lourde laine, sur le fauteuil, en s'allongeant.
L'autre main, la jeune fille la serrait dans les
siennes, comme un recours contre tout.

Elle tremblait. Il se coucha au long d'elle,
l'étreignit, dans ses couvertures, nouant autour
de son corps ses longs bras, ses jambes chaudes ; tâchant de réaliser la prise la plus étroite,
la plus complète, dégagé de toute autre idée
que celle de la réchauffer, de lui passer de sa
vie... Ses bras allaient et venaient, cherchant
à l'épouser mieux, à contraindre ce grelotte-
ment nerveux qui la secouait.

Elle parut retrouver un peu de chaleur et
un peu de calme. Alors, qu'importaient le
reste, les craintes, les doutes et les soupçons
affreux. Sa fille lui était rendue, et vivante,
il ne demandait rien, en effet, même dans son
âme où il faisait taire toutes les voix pour
n'entendre que son adoration. Il élevait vers
elle le plus pur des actes d'amour et de foi :
« La Reine ne peut faillir... LA REINE NE
FAILLIT JAMAIS. »

— Tout est bien, — lui disait-il à l'oreille,

— reprends-toi... Je suis là... Nous sommes
là...

Elle tourna la tête. Il sentit contre lui la
peau mouillée et le battement des longs cils,
et aussi le dur petit menton froid. La bouche
distendue n'avait plus la force de s'appuyer...

— ... ta servante, — soufflait-elle... Ta servante... Ne demande rien... Plus tard...

Comme deux enfants purs et désespérés,
absolument dématérialisés par leur douleur,
par leur prostration, ils restèrent ainsi l'heure
qui précéda le jour, hors du sommeil, dans
une étreinte poignante. Tels que deux âmes
que va séparer le Dernier Jugement.

XXI

Il ne se recoucha pas ; il se vêtit, et il rôdait, insensible, hésitant, recru... Les choses ne lui parvenaient plus dans leur réalité. Fatigue, fatigue, jusqu'à l'étourdissement !

« La Reine ne peut faillir »... Tel fut son incessant plaidoyer, sa ressource, son tic de secours. Il manquait d'éléments pour comprendre les rapports des actes. L'amour demeurait vainqueur. Cela suffisait.

Il errait sous une petite pluie fine, de beau temps prochain. Un ronflement d'automobile lui rappela le major. C'était la voiture de course. Arsène l'occupait avec le cuisinier. Ils partaient pour la journée, en mission. Le chauffeur tendit une lettre à Guy :

« Je voudrais bien vous voir ce matin. »
W.

Guy jeta le papier sur la table du vestibule et descendit.

⋆

Le major attendait sur le pas de la porte. Ils
se saluèrent sans un mot, comme si tous deux
souffraient trop pour en faire plus. Ils ne se
tendirent pas la main, mais ici, l'on n'était plus
en France.

Guy ne remarqua même pas le mutisme de
l'autre. Il franchit le tout petit vestibule pour
s'en aller dire adieu aux marbres. Confusément, il jugeait que les marbres attendaient
qu'il vînt. Ses frères, ces mutilés, ces blessés,
ces créatures d'amour torturées... Lentement,
il passa devant eux... La beauté n'avait plus
aujourd'hui son accent triomphal, exalté, son
appel à l'avenir, mais une voix plaintive qui
restait douce comme un murmure apitoyé...
Le passé redoutable...

Il se dirigea vers la cellule des armes et la
galerie des joyaux ; quand la voix de son hôte,
étrangement impérieuse, anormalement, le
repoussa en arrière :

— Non !

Non ?... Bien. Il revint vers le major. On
se devait de parler, chose obligatoire. Il s'assit
près de la table. L'autre resta debout, tête
basse. Puis s'assit à ses côtés.

Guy aperçut sur la table quelque chose qui
lui donna encore l'impression du déjà vu...
Son œil se fixa, et il se pencha... dans une con-

fusion intérieure, un désarroi accru, extraor-
dinaires.

. . . .

Sur un foulard de soie rouge et verte, LE
COLLIER DE LA JEUNE FILLE !... Le collier ? Il
le prit avec une précaution terriblement
lente... Le châle s'ouvrit pourtant, attiré par
le fermoir, et dessous... SON BRACELET...
Alors, son châle ? alors, ses bijoux ?

Dans une interrogation hagarde, il se tourna
vers le major qui le regardait fixement. Il
rapprocha sa figure de la figure de l'autre. Il
osa... Il osa demander :

— Elle est descendue ?... Descendue, ici
même ? Cette nuit ?...

— Oui, — souffla l'autre... — Oui, cette
nuit, et d'autres nuits, avant que vous ne re-
veniez...

Guy sentit qu'on lui glissait quelque chose
dans la main... On continuait...

« ... pendant que vous la délaissiez... Allons,
tirez !... Vous comprenez bien ?

Sans colère, sans accent, comme pour un
inexorable aveu, dépouillé de tout, horrible-
ment défait... On n'élevait pas la voix.

Ils se touchaient, genou contre genou. Guy
secoua la tête :

— Ce n'est pas vrai... Ce n'est pas possible,
— murmura-t-il, très bas.

— Si. Elle part, pour jamais... J'ai tout pré-
paré. Une lettre qui vous innocente... Je vous
dis qu'elle a été A MOI... Tirez ! Tirez de tout
près, à toucher. Mon sang vous sauvera. Vous
aurez dominé... dominé le passé... L'acte viril
vous sauve... Tirez, MON AMI... J'attends, de
votre main... MON SEUL AMI... Recevoir de
vous, c'est recevoir d'elle...

Guy repoussa l'arme. Le cercle était clos...
Lui-même allait mourir. Qu'importait toute
violence. Il était mort. Les morts n'ont plus
rien à démêler avec les hommes... En s'ap-
puyant à la table, il tenta de se remettre en
route...

« Ah ! — gémit l'autre : — vous ne pouvez me laisser...

La porte s'ouvrit violemment. ELLE PARUT.

*

L'arrivée de l'automobile lui avait fait peur.
Elle avait trouvé la lettre et discerné immédiatement, si ce n'est le piège, au moins le danger. Elle s'était précipitée au secours, comprenant que la vie et la mort se disputaient
l'instant infinitésimal. Elle venait se jeter entre
les deux hommes, se mêler, une dernière fois,
à leurs destins.

Le dément recula jusqu'au milieu de la
pièce, contre le grand torse d'Aphrodite qui

parut l'arrêter. Il s'y appuyait à demi courbé,
sa tête noire entre les seins de marbre blanc.

Guy ne parut pas étonné. Il saisit les douces
mains de la jeune fille, les baisa machinalement : « Est-ce vrai ? — fit-il avec une into-
nation enfantine, — est-ce vrai, ce qu'a dit
cet homme ? Non, n'est-ce pas, non ?...

Elle eut un sursaut... Elle avait tenu ses yeux
sur l'autre, sans en distraire un regard, laissant ses mains à Guy. Mais elle s'arracha et
marcha droit vers le géant sombre ; avec une
telle puissance, une telle majesté qu'il s'en
replia plus encore, gémissant. Elle le trans-
fixait. Il ferma les yeux... Il eut un mouvement
d'épaules et de buste comme s'il voulait rompre des cordes attachées autour de sa poitrine... Puis il se redressa.

Mais elle revint vers Guy, à reculons...

— Je ne suis qu'un misérable, — articula
lentement le major. — J'ai menti; J'AI MENTI,
pour une fois !... Je le jure... J'aurais voulu
qu'il me tuât... Mais ELLE, je l'ai aimée, aimée... à me crever les yeux pour un seul bon
regard qu'elle m'eût accordé...

Il reprit, haussant le ton de sa plainte :

« Elle est restée toujours à vous, à vous,
à vous seul ! Jamais à moi... Mais elle m'aurait
guéri ! Pardon, pardon !

Il cria :

« J'ai menti ! »

Elle semblait ne rien entendre. Sans cesser
de faire face à l'autre, elle poussait Guy, en
reculant, vers l'entrée de la grande salle,
tenant toujours ses yeux sur le dément, qui,
en rouvrant les paupières, les vit déjà loin. Le
vieux guerrier leva les bras comme un homme
qui se rend... Il s'érigeait, sombre, sur la statue mutilée et vermeille :

— Encore une minute ! — cria-t-il... —
une seconde encore !! une seconde...

Elle ne la lui accorda point. Ils se trouvaient
maintenant contre la porte, et, avec une force
presque masculine, elle poussait Guy dans le
vestibule, Guy comprenant qu'on fuyait, et
qui voulait revenir...

À leur dernier coup d'œil, ils virent l'homme
à demi renversé sur le puissant torse clair, dont
les bras brisés et les épaules décapitées semblaient se pencher sur le moribond, dans une
pitié suprême.

— Vite, Guy !

XXII

ELLE le poussait dehors vers l'escalier du barrage, se mettant derrière lui comme si un danger suprême allait jaillir du lieu qu'ils abandonnaient. Elle le couvrait de son corps, s'interposant entre lui et les fenêtres closes :

— Courbe-toi... Tu es trop grand !

— Revenons !...

— Guy, je t'en supplie ! courbe-toi !... Viens !

... Plus belle, plus impérieuse que jamais, elle se jetait sur lui, le poussant, le soulevant, fonçant dessus quand, dans un sursaut de flammes internes, il semblait vouloir se reprendre, revenir en arrière... Dans un tel effort qu'au sommet de l'interminable degré, elle en tomba... trois secondes, sur les poignets, se soulevant comme si elle eût eu les reins brisés, puis, se relevant, retrouvant sa force, le tirant, l'entraînant encore. On pouvait toujours les

suivre des croisées tragiques d'où peut-être
allait flamboyer un éclair... et Guy s'écroule-
rait le cœur traversé !... Ils étaient trop près...
Elle l'entraîna au bord de l'étang. Vers le fond,
loin ! Elle n'avait plus confiance dans leur
maison... Et quand ils furent à l'abri d'une
roche, au bout de la nappe d'eau, elle se laissa
choir sur le sol, dans un grand soupir, vic-
torieux, mais épuisé, à bout de forces.

*

Ils ne parlaient pas. Guy avait la tête dans
ses mains. Il la retira pour regarder son amie,
avec des yeux, pourtant, qui ne semblaient
rien voir et ne pas se dégager des images internes. Elle reprenait son haleine, et, les genoux repliés, assise le buste droit, elle songeait,
les yeux sur l'étang, haletant encore un peu.
— Oh! — gémit-il, — cet homme... Qu'as-
tu fait ?
Elle se retourna :
— Tu n'as pas le droit... Non ! Après tout,
pourquoi accepterais-je des reproches ?
— Pourquoi ?
— Tu n'as pas le droit ! J'étais avilie. Tu
m'avais abandonnée, seule, avilie ! Comme
une chose ignoble. Tout ce que j'avais de meilleur en moi, avili ! As-tu pensé une minute
qu'en me laissant aller dans tes bras, je croyais

à un jeu ?... Je venais à toi comme à mon
mari, à mon époux pour la vie, pour l'éternité...

*

« Guy, je t'ai presque haï... En ai-je écrit,
des lettres désespérées où j'essayais, malgré
tout, de ne pas trop dire, par respect pour
moi, pour toi... Et tu n'as rien voulu lire :
tu avais réglé mon sort. J'étais toute seule
dans mon abominable secret ; n'ayant personne qui pût me donner du courage... J'at-
tendais, j'espérais tes lettres, mais c'était le seul
appui que j'en pouvais tirer, leur attente...
Elles venaient si courtes, si sèches, et j'étais là
tendue, implorante, ne recevant qu'une suite
indifférente de mots sages, ah, oui, sages !...
Sages à pleurer, quand, moi, j'avais pensé des
mots, durant des jours et des nuits, des mots
fous !...

*

« Et il est entré, lui, avec une sorte de
bonté craintive, une attention de toutes les
secondes. Chaque jour, je trouvais un signe
pour me dire : « Ne désespérez pas ; vous
valez quelque chose ; vous n'êtes pas seule au
monde... » Regarde : ce jardin a été planté
pendant deux jours que j'ai passé ailleurs...
les perles, il me les avait données comme

fausses, COMME FAUSSES, tu entends ! Tu vois !
pour que je ne pusse m'en choquer... Et tu dis
toi-même qu'elles valaient des fortunes ! J'ai
voulu les lui rapporter cette nuit. Il fallait...

« Je ne l'aimais pas, non, ah, Dieu ! c'était
impossible, tu étais en moi. Mais, à lui, j'eusse
été si utile ! Il était là dans son sentiment toujours plus pénétrant de la mort, lui aussi tout
seul, cette mort qui l'assiège, qu'il désire... J'ai
un peu apaisé cette rage, apaisé, un peu, cette
angoisse, ce vertige... Peut-être qu'enfin, ces
pensées terribles dont il est malade, je les aurais chassées de son pauvre cœur, de sa tête
obsédée... Il m'a dit, sur la mort, de telles
choses, le jour de la Saint Jean, dans la lande,
que j'ai eu presque envie qu'il nous y entraî-
nât tous les deux... Tu n'avais pas écrit depuis
quinze jours...

Guy ne paraissait pas comprendre, enregis-
trer. Son masque s'était seulement creusé
comme si ces mots eussent réveillé en lui une
profonde douleur interne.

Ils restèrent prostrés, de longues minutes...

*

Enfin, il émit péniblement, d'entre ses lèvres durcies :

— Mais... il a menti... Tu ne t'es pas donnée !... Quand il s'est rétracté, il disait vrai,
alors ?...

Elle ne parut pas, elle non plus, avoir discerné. Il semblait que rien ne pouvait contenir, cette fois, le flot, le torrent de sa rancune :

— Quelle importance cela peut-il avoir pour toi ?... Toi qui prends et abandonnes en te jouant ! En te jouant !... Et je t'aimais, ah ! je t'aimais !!! Je t'aimais tellement, qu'à force de vouloir t'imaginer toujours, à chaque minute, je suis arrivée à ne plus pouvoir me remémorer tes traits autrement que dans mes songes. Je ne pouvais retrouver ton visage ! Tout cela devenait noir et chaud, brûlant, impossible ! Je ne pouvais me souvenir que de tes mains. Je voyais ta cicatrice du pouce. Regarde, je me suis coupée exprès, tranchée, pour porter la même marque, TA marque !

La petite main, tremblante de nerfs, se tendit, et il vit, sur la blancheur du pouce, un bourrelet rouge encore gonflé.

« La laisse de ton chien, que tu avais toujours, au début, quand tu craignais qu'il ne se perdît, la chaîne, je l'ai portée autour de mon cou, sur ma poitrine. Regarde, touche : elle y est encore, en creux !

« J'aurais abandonné Mamy sans un mot, au premier signe de toi, sur un clin d'œil... D'ailleurs, je lui ai tout dit, quand cela parut désespéré, quand tu m'as répondu... J'écrivais que je voulais mourir puisque je ne pouvais

vivre près de toi — je le sais mot à mot... Tu
as répondu : « C'est une belle chanson espagnole... Faut-il envoyer les notes ?... » J'ai
tout dit, parce que je croyais que tu me dé-
laissais définitivement, et qu'il me fallait,
alors, un témoin, un témoin que j'avais été
à toi, ta femme, même si l'on devait m'en
mépriser... Un témoin triste... Alors, j'ai tout
dit, puisque tu m'oubliais...

« J'aimais ma poitrine, parce que tu l'aimais ; mes genoux, parce que tu les embras-
sais, et quand j'ai été malade, j'ai pleuré en
voyant maigrir mes jambes : tu les aimais,
disais-tu, « fines et fortes »...

« Et pendant ce temps-là, je savais que tu
vivais tranquille et gai, au milieu des belles
jeunes femmes ; je savais ta puissance et,
ô Dieux, qu'on ne te résistait pas ! De désespoir, je me tordais dans mon lit, en songeant
que tu ne voulais plus d'une fille perdue...
J'étais cela, moi. Je pleurais tant que mes yeux
me faisaient mal, mais je sortais quand même
pour ne pas dépérir et garder au moins ce
corps, mon corps pour toi, si tu revenais jamais, ce corps tel que tu avais joué avec...
Alors, dans ces promenades atroces, je le ren-
contrais, lui, et il voyait tout de suite ma
peine, ma hantise... Il devenait si bon, si secourable !... Lui, si lourd, et qui éprouve tant
de malaise à sortir de lui-même, il essayait de

me faire sourire, de me distraite. Il tâchait de
trouver des choses drôles, des histoires dont
le premier mot, dit par toi, m'eût fait rire,
rire !... Il a fait venir deux petits singes, pour
m'amuser... Mais, tu sais, il restait terrible.
L'un d'eux m'a mordue : il les a tués tous les
deux, raides ! »

★

Le menu tintement firmamental reprenait.
Il y avait au loin, très loin, quelqu'un qui travaillait calmement, dans la paix...

★

« Sais-tu qu'il m'a donné, je ne sais comment, tout ce pays jusqu'à l'horizon ; dix
lieues de bruyères, jusqu'aux pierres de Rynes,
et ces belles collines, parce que je les chéris-
sais. J'aimais malgré tout cette terre où j'avais
été si heureuse et si malheureuse. Moi, j'étais,
alors, sa seule défense contre la mort, entends-
tu ? et toi, et pour toi ? — elle éclata d'un
rire plein de larmes, — et pour toi, j'étais « un
souvenir de voyage »...
Le mot était si dur, — si sauvagement vrai,
que Guy fut debout comme s'il étouffait : la
vérité, la vérité seule :
— J'ai été un fou, — cria-t-il, — un fou
malpropre, mais, après, comme j'ai payé ! Oh,
mon trésor, mon trésor dans des mains indi-

gnes, il fallait que je t'eusse contre moi pour
connaître... Mais, j'ai souffert, souffert, j'ai
payé...

Elle reprit :

— Assieds-toi, cache-toi, encore. De la
digue, on peut encore nous apercevoir... Assieds-toi donc !... Je n'aurais pas dû accueillir
cette tendresse, mais aussi, cela me rassurait...
Je me rendais compte de son déséquilibre, de
sa folie envahissante, mais aussi de sa grandeur.
De la noblesse et de la puissance qu'on ne pouvait retirer à cet homme, et dont toi-même a
subi l'autorité. Ne nie pas, maintenant. Il était
grand ; en lui, quelque chose prévenait qu'on
avait en face de soi un être rare, douloureux,
supplicié, mais, aussi, comment dire ? sanc-
tifié... Ce n'est pas ça ; je ne trouve pas de
mots... Et pourtant, qui peut lui être comparé
dans sa force intime, dans sa domination ? Je
suis orgueilleuse... Tu m'avais jetée au bord
de la route ; tu te débarrassais de moi : lui me
relevait, me rendait ma place... Je me demande
même si je n'en avais pas de la fierté par rapport à toi : par rapport à toi, comprends-tu ?

« La soumission, l'obéissance, cette immense tendresse que je voyais, que je sentais
en lui, c'était MA REVANCHE, à moi, la fille lâ-
chée, la fille dédaignée. Je pouvais me dire
qu'au moins je n'étais plus inutile, plus mé-
prisée; qu'un autre, dont la supériorité balan-

çait la tienne, au moins, te dépassait peut-être,
l'avait reprise et mettait ses dernières joies à
m'en apporter un peu de paix, à me rendre
quelque calme, et surtout à me restituer (c'est
vrai, et c'est stupide, mais une pauvre fille,
assez sotte peut imaginer, se leurrer), à me
rendre un peu d'honneur intime...

« Je suis allée cette nuit lui ramener ses
bijoux — et il y en avait bien d'autres... Je
n'ai pas donné notre bracelet, emporté par mé-
garde, dans mon trouble, dans mon affolement,
pour cette démarche qui m'accablait... Mais,
dès que j'ai dit le départ pour le lendemain,
il est sorti de lui-même, avec une incroyable
rage. Il m'arracha le bracelet... Regarde ! Je
croyais bien, quand je lui dis adieu, qu'il allait
me tuer... Que nous allions ainsi tout finir...
Ç'aurait été bien mieux... Mais il n'a pas pu,
n'a pas pu, je suis sûre qu'il le voulut et qu'il
n'a pas eu cette force... Un peu de sang m'est
sorti du poignet, de *mon* sang, et soudain il
est devenu tout faible, tout titubant... Ah, il
n'a pas eu le courage, lui qui a tué plus d'hommes encore que de renards !... Vous ne pouvez
pas savoir, vous autres, comme il est connu et
craint... ici, et dans l'Empire... C'est lui qui...
On disait... J'aurais voulu l'aimer pour lui
apporter un peu de douceur, au milieu des
cris de haine ; pour lui donner une petite
fleur, parmi les ronces et les épines des ran-

cunes... Mais je ne pouvais pas... Il y avait
TOI, TOI, derrière. Eût-il été beau, jeune, il ne
m'aurait pas émue... TOI, toujours toi encore...
Et ce que tu pouvais t'en moquer !...

« Et voilà que tu reviens, ô Dieux !... A ton
premier regard j'ai compris que tu me désirais toujours ; peut-être, que tu m'aimais toujours... Que tu revenais pour jamais... O Seigneur, pourquoi as-tu permis une telle
épreuve, et qu'elle tombât sur Ta pauvre enfant... Ton enfant, mon Seigneur, Ton enfant, quand même... Malgré mon péché, est-
ce que je méritais ainsi Ta colère ? et de tant
souffrir, mon Dieu, de ma faute : Ta pauvre
enfant... »

Elle pleurait.

*

Ses pieds trempaient dans l'eau... Elle avait
dû glisser. Se remonta sur la berge :

— Oh, je n'ai pas hésité une minute. Tu
revenais, rien n'existait plus, mais que la pitié,
aussi, m'a fait de mal !... Pitié pour lui, pour
moi, et, ô mon Seigneur, pitié pour toi... Je
ne voulais plus être ta femme, c'était fini...
Il me suffisait que tu fusses revenu... Nous par-
tirions, comme avant. Cela durerait comme
tu le voudrais, aussi longtemps que tu le ju-
gerais bon... Mais je pensais à ce qu'aurait pu
être notre vie si nous avions été seulement des

fiancés, des fiancés dignes de nous. Toi, tu ne
voulais plus que m'épouser... C'était trop tard,
et lui, le malheureux, le pitoyable, le pauvre
insensé...

Elle sanglotait.

★

Guy lutta, pour sa vie :

— Mais moi, — dit-il, avec une force revenue, — sens-tu, MAINTENANT, comme je
t'aime ? Quelle est la qualité de mon amour ?
— Il eut une inspiration. Il se rapprocha
d'elle, et scandant : — Cette nuit, quel est celui qui n'eût pas interrogé ?... Cherche, com-
pare. Tu ordonnais : je n'ai rien demandé,
rien sollicité, même, même dans mon esprit...
J'ai vécu soutenu, nourri, défendu, par ces
mots incessamment répétés : « La Reine ne
peut faillir, ne peut... »

— Oui, — répliqua-t-elle, — mais tant
mieux ou tant pis, car si tu m'avais interrogée,
sache que — je crois ! — je ne suis pas sûre...
— je crois que je serais repartie comme une
folle. Entends-tu, c'est plus à lui que je pensais
qu'à toi, peut-être... J'avais quitté un mort
vivant, et malgré sa fureur, après sa fureur,
tellement humble, auprès de toi, toi, si sûr, si
maître de tout...

Elle se retourna : elle était encore près de
l'eau. Elle dit, avec distraction :

« On dirait que l'eau monte...

Lui aussi répéta, machinalement :

— ... L'eau monte...

★

Mais, tout à coup, dégrisés, pâlissants, ils se regardèrent avec, dans les prunelles, un tragique semblable... Eux deux, qui connaissaient le secret et le danger... Ils se retournèrent vers le barrage éloigné ; poussèrent le même cri d'horreur : le liséré vert et gris qui marquait le sommet de la digue avait complètement disparu ; l'eau puissante et gonflée le cachait.

Elle gémit et se mit à courir vers la chaussée, et Guy la suivait... Ils couraient, mais au milieu de la distance, ils virent la ligne des eaux s'incurver dans une dénivellation soudaine, un fléchissement, un V très écarté, très ouvert, et ils furent cloués net par un rugissement.

— Il a fermé les vannes ! — cria Guy.

— Il meurt !... — répondit-elle.

Leurs cœurs battaient dans leurs gorges ! Ils reprirent leur course, dans leur suffocation...

La dénivellation angulaire s'accentuait, rétrécissait ses branches, et, maintenant, un beuglement, un roulement formidable emplissait les vallées, grondant comme une éruption... Le barrage craquait ; la maçonnerie se délitait

sous l'arrachement liquide, et projetait des
tonnes et des tonnes de pierres en même temps
que les eaux... Un arc-en-ciel montait et luisait au-dessus du gouffre. Le bruit couvrait
tout...

Ils couraient. Ils arrivaient au bord de
l'abîme fumant. C'en était fait : un seul pan
de muraille de la grande maison restait debout,
le côté des joailleries. Autour, un cataclysme
indiscernable dans son détail, avec ses brumes,
ses remous, ses gerbes, ses chocs, ses coups de
pilon... Des lames jaunâtres et serpentines,
échevelées d'écumes, assaillaient, montaient les
collines... Des jaillissements perpendiculaires
filaient en fusées, des rocs pirouettaient comme
des bouchons !...

Le sol tremblait tellement que Guy eut la
sensation qu'ils allaient en être enlevés :

— Par pitié ! — hurla-t-il, car elle se penchait encore toujours plus.

Mais, dans le vacarme sans nom, universel,
dans la débâcle tonnante, il y eut encore un
surcroît perceptible, un déchirement que la
masse des bruits assourdissait : le barrage,
presque entier, croulait, s'arrachait tout d'un
bloc. Guy, empoignant la jeune fille se jeta à
terre... Ils entr'aperçurent une immense lame
verte en transparence, comme du verre en
fusion...

Le choc fut tel qu'ils furent déplacés... Mais ils regardaient.

La vague balaya tout, sembla devoir déferler jusqu'au sommet de la colline. Le sol disparut dans une confusion aqueuse inexprimable; des assauts frénétiques se livraient en bas, des explosions, des jets gazeux, avec des panaches troubles, des patouillis colossaux, des barbotements de marée, une bataille de paroxysmes...

. . . .

Et cela tomba presque aussitôt... Il n'y eut plus rien qu'un fleuve bourbeux qui grondait peut-être mais qui paraissait silencieux après ces clameurs, ces stridences, ces arrachements... Le bruit s'éloignait... Les eaux filaient vers la mer. L'on entendait, par intervalles, une cloche, une cloche à petits coups... et des cris perdus...

La jeune fille s'était mise à genoux et priait, mains jointes. Guy s'était reculé.

. . . .

Plus rien que des flots mous, indolents. Au centre, un ruisseau... Une chose brillante bougeait sur les eaux, un bassin aux godrons d'argent, aux taureaux de marcassite noire, les taureaux Borgia, qui tournoyait, se choquait, tintait.

. . . .

. . . .

Elle se leva. Elle tourna vers Guy. ses grands yeux clairs, ses vastes yeux :

— Il est mort — ... dit-elle, — à cause de moi. Ce serait maintenant trop facile et trop lâche de nier... Guy, J'AI APPARTENU A CET HOMME, DE MON PLEIN CONSENTEMENT.

Alors l'amant comprit que sur le chemin de l'amour et du sacrifice, sur le chemin sanglant, il avait fait, à peine, jusqu'ici, ses premiers pas...